LEONARDO LOURENÇO

A síndrome do gênio da lâmpada

COMO NÃO SE TORNAR PRISIONEIRO DOS PEDIDOS DOS OUTROS

Editora Labrador

Copyright © 2021 de Leonardo Lourenço
Todos os direitos desta edição reservados à Editora Labrador.

Coordenação editorial
Pamela Oliveira

Preparação de texto
Laura Folgueira

Projeto gráfico e diagramação
Felipe Rosa

Revisão
Laila Guilherme

Capa
Amanda Chagas

Imagem de capa
macrovector_official / Freepik

Assistência editorial
Larissa Robbi Ribeiro

Dados Internacionais de Catalogação na Publicação (CIP)
Angelica Ilacqua CRB-8/7057

Lourenço, Leonardo
  A síndrome do gênio da lâmpada : como não se tornar prisioneiro dos pedidos dos outros / Leonardo Lourenço. -- São Paulo : Labrador, 2021.
  212 p.

  ISBN 978-65-5625-114-1

  1. Técnicas de autoajuda 2. Autoconhecimento 3. Crescimento pessoal 3. Mudança de atitude I. Título.

21-0792   CDD 158.1

Índice para catálogo sistemático:
1. Técnicas de autoajuda

EDITORA
Labrador

Editora Labrador
Diretor editorial: Daniel Pinsky
Rua Dr. José Elias, 520 – Alto da Lapa
05083-030 – São Paulo – SP
+55 (11) 3641-7446
contato@editoralabrador.com.br
www.editoralabrador.com.br
facebook.com/editoralabrador
instagram.com/editoralabrador

A reprodução de qualquer parte desta obra é ilegal e configura uma apropriação indevida dos direitos intelectuais e patrimoniais do autor.

A editora não é responsável pelo conteúdo deste livro. O autor conhece os fatos narrados, pelos quais é responsável, assim como se responsabiliza pelos juízos emitidos.

Para Antonieta, José, Ilda e Manoel
(meus avós, *in memoriam*)
e para todos os que vieram antes deles.
Se estou aqui, é graças ao que eles viveram.
Que eu possa honrá-los e dignificá-los,
tornando-me a melhor versão que
eu possa alcançar.
Obrigado.

"Somos assim: sonhamos o voo, mas tememos a altura. Para voar é preciso ter coragem para enfrentar o terror do vazio. Porque é só no vazio que o voo acontece. O vazio é o espaço da liberdade, a ausência de certezas. Mas é isso que tememos: o não ter certezas. Por isso trocamos o voo por gaiolas. As gaiolas são o lugar onde as certezas moram."

Fiódor Dostoiévski (em *Os irmãos Karamazov*)

SUMÁRIO

PREFÁCIO 9

APRESENTAÇÃO 11

BULA 13

ENTRANDO NA LÂMPADA 16

DENTRO DA LÂMPADA 36

ESFREGANDO A LÂMPADA 67

O AMO 90

OS PEDIDOS 106

PODERES MÁGICOS 131

DEIXANDO A LÂMPADA 144

POSFÁCIO: FISSURAS NA LÂMPADA 193

REFERÊNCIAS BIBLIOGRÁFICAS 199

PREFÁCIO

Senti-me duplamente presenteada quando recebi o convite para prefaciar o livro de Leonardo Lourenço, neurocirurgião e neurologista: tanto pelo convite em si como por, tendo tantas informações sobre neurociência, ficção e outros temas, estar diante de uma leitura instigante e envolvente.

Quem leu seu livro *Noocídio: quem sou eu sem os meus problemas?* conhece o potencial do autor.

A síndrome do gênio da lâmpada nos induz a rever conceitos e a pensar em quanto vale a pena iniciarmos um processo de libertação. Não se trata, porém, de uma leitura de fácil assimilação, como alguns romances ou outros tais, que lemos para puro deleite. É por proporcionar profundas reflexões e um grande aprendizado que este livro é imprescindível!

Cada frase lida nos obriga a refletir sobre várias instâncias da nossa vida, geradoras de possíveis comportamentos e adoecimentos. O autor faz uma interessante pergunta ao leitor, como a seus pacientes: "Como foi sua infância?". Uma vez respondida, vai ajudando a destrinchar a intricada teia de sintomas e sinais capazes de mascarar a realidade de seus portadores.

O dr. Leonardo Lourenço tem o dom de, como um bom cicerone, ao pronunciar o *vade mecum* (em tradução literal, "vamos juntos" ou "vai comigo"), fazer o leitor percorrer lugares interiores recônditos, permitindo que eles sejam observados por vários ângulos, de tal modo que fatos aparentemente superficiais, sob esse novo enfoque, tornam-se claros. Nesse processo de revisitar-nos interiormente, revolvendo memórias da infância, sentimentos diversos vão tomando conta de nós, sendo por vezes difícil não oscilar entre tristeza, alegria, pena ou dor. Indiferença, não! Diante de cenários até então pouco nítidos, não cabe reagir com apatia. Até porque cada descoberta, vista de outra maneira, exige desconstrução para que possamos nos reconstruir. Entretanto, mudar exige cautela e coragem!

Lembrando Guimarães Rosa, em *Grande sertão: veredas*: "Todo caminho da gente é resvaloso. Mas, também, cair não prejudica demais. A gente levanta, a gente sobe, a gente volta. O correr da vida embrulha tudo, a vida é assim: esquenta e esfria, aperta e daí afrouxa, sossega e depois desinquieta. O que ela quer da gente é coragem".

Portanto, cabe a nós a decisão de nos libertarmos ou não dessas prisões imaginárias e, mais ainda, sobre o que fazer depois dessa libertação tão necessária. Obviamente, a leitura não garante a mudança ideal se o leitor não for obediente ao roteiro de reconstrução proposto pelo autor. Neste livro, didaticamente, encontram-se as instruções necessárias para isso. Kit completo!

É um livro para ser lido e relido várias vezes! Bom proveito, prezado leitor!

Dra. Edenilza Campos de Assis e Mendes
Médica, comendadora em Medicina do Trabalho, coautora de livros nas áreas de saúde ocupacional e ética médica, diretora científica da Associação Paulista de Medicina do Trabalho.

APRESENTAÇÃO

Nesta obra, o autor e amigo Leonardo Lourenço, com uma visão abrangente de vivência pessoal, conhecimento científico e narrativas de pacientes, vem, de forma lúdica e ao mesmo tempo prazerosa, nos mostrar como construímos arquétipos, moldando nossa personalidade, embora por vezes nos afastando de nossa verdadeira essência. É como se nos colocássemos dentro de uma "caixa-preta", enraizada no subconsciente, com mensagens satisfatórias para o hoje, mas extremamente danosas para o amanhã.

Este livro nos dá a oportunidade de imprimir novo sentido à nossa existência e nos livrar de moldes mentais que nos aprisionam dentro dessa caixa. O autor faz uma graciosa analogia com o gênio da lâmpada, personagem coadjuvante da clássica história *Aladim e a lâmpada maravilhosa*.

Trata-se de uma oportunidade fantástica para olharmos para nós mesmos, buscando mecanismos de libertação, como a temperança e o altruísmo, e principalmente aprendendo a amar com harmonia e a plena felicidade. O gênio pode atender a desejos ou verdades reais, mas isso vai depender de você!

Suely Bresser Lang
Professora de Português, Literatura Infantil e Latim, formada pela Faculdade de Filosofia e Ciências e Letras Sedes Sapientiae da Pontifícia Universidade Católica de São Paulo (PUC-SP), 1969.

BULA

(Sinta-se à vontade para pular esta introdução. Ela é como um "manual de instruções", mas, se preferir, você pode ir direto ao próximo capítulo.)

Cabem aqui algumas orientações antes de você começar a ler este livro. Cada capítulo divide-se em quatro seções, cada uma relacionada com a ideia geral do livro, mas um tanto desconectada das outras. Assim, pode ser que você sinta um "solavanco" ao passar de uma parte para outra dentro de cada capítulo. Sugiro que não desanime. No começo pode ser que não faça muito sentido, mas a tendência, espero, é que tudo comece a se entrelaçar para formar um corpo único mais fluido em algum ponto da leitura.

A primeira seção de cada capítulo contém um fragmento de um conto que remete à ideia central da obra. Trata-se de uma narrativa autoral cujos símbolos fazem uma ponte com a realidade. Esse **conto** vai se desenrolando ao longo do livro, mas não de forma contínua.

A segunda seção de cada capítulo desenvolve o argumento a respeito do que chamei de "síndrome do gênio da lâmpada". Cada segunda seção trata dos aspectos teóricos e práticos relacionados com o tema geral do livro. Aqui, são expostos os motivos que levam as pessoas a padecer desse problema, além dos variados aspectos envolvidos em sua manifestação, manutenção, evolução e agravamento. São também mostrados casos reais e exemplos concretos (todos os nomes, datas, locais e circunstâncias foram alterados com vistas à máxima preservação da privacidade). Além disso, são propostas algumas ferramentas com objetivo de lidar e evitar o sofrimento advindo dessa síndrome. Tal seção representa uma espécie de **documentário**, dentro do livro.

A terceira seção de cada capítulo traz elementos históricos ligados à figura do gênio da lâmpada. Trata-se de uma breve viagem no tempo: desde a mitologia árabe pré-islâmica, passando pela cultura muçulmana, por *Aladim* e *As mil e uma noites*, depois pela Disney até chegar à atualidade. É uma seção dedicada aos curiosos por **conhecimentos gerais**. Podemos dizer que é a seção "aula de história".

A quarta seção de cada capítulo procura fazer uma leitura neurocientífica. Mente, cérebro, emoções e neurônios são os elementos que se prestam a elucidar o processo da síndrome dentro de nossa cabeça, usando conceitos técnicos traduzidos da forma mais leiga possível. Aqui temos o gênero **científico** fechando o cerco em torno do assunto, com o aporte de conhecimento da minha principal atuação profissional (neurologia e neurocirurgia).

Talvez venha a dúvida: e então por que não dividir o livro inteiro em quatro seções únicas e contínuas no lugar de fragmentar cada capítulo em quatro segmentos? A resposta é simples: acho que ficaria enfadonho. Nem todos gostam de todos os quatro formatos contidos nesta obra (ficção, documentário, história e neurociência). Aliás, eu diria que a maioria não morre de amores por um ou mais desses. Assim, como encuquei que o livro deveria ter essas quatro vertentes orbitando em torno do mesmo tema, considerei mais dinâmico "picotar" os gêneros, para que nenhum deles tenha uma extensão demasiadamente grande, em especial para aqueles que se interessam pelo tema da obra mas não suportam essa ou aquela modalidade de escrita em específico.

Optei por deixar todas as referências de estudos e pesquisas que fornecem embasamento científico para o conteúdo desta obra no final. Evitei deliberadamente numerar no corpo do texto cada ideia com seus respectivos fundamentos científicos, com o objetivo de tornar a leitura mais dinâmica e fluida. Não sei quanto a você, mas acho um pouco irritante aquele monte de numerozinhos permeando o texto principal. No final do livro, você poderá encontrar um grande número de fontes e referências: sirva-se.

Feito este preâmbulo inicial, espero que você goste da leitura! Mais que isso, almejo que se sinta estimulado a refletir acerca de sua própria vida e, de alguma forma, isso sirva de inspiração. Se você não se identificar com o tema ou não apreciar a leitura, por favor, abandone-a. Eu mesmo costumava ter muita dificuldade em desistir de obras ruins, mas, no fim, é perda de tempo insistir com algo que não faz sentido para nós. Eu antes achava que era "fraqueza" colocar um livro de lado e daí ficava lá, firme, tentando empurrar o troço goela abaixo, feito um tonto. Porém, hoje já não encaro dessa maneira. Simplesmente há coisas que nos servem e outras não, como as roupas. *C'est la vie*. Por outro lado, se você gostar deste livro, peço uma gentileza: recomende-o a seus conhecidos — talvez eles possam ser também, de algum modo, tocados pelo assunto. Mas, sem sua recomendação, pode ser que essas páginas jamais os alcancem. Boa leitura e obrigado!

ENTRANDO NA LÂMPADA

No começo, Abdul podia ir para qualquer lado. Ele podia ir para cima ou para baixo, para a esquerda ou para a direita, para dentro ou para fora, para perto ou para longe. Abdul também podia ficar quieto, apenas parado em seu lugar, relaxando, sem nada fazer. Não havia limites. Às vezes, ele voava abraçado aos anjos. Outras vezes, refestelava-se com afagos e carinhos dos seus pais, os soberanos do maior de todos os reinos. Além disso, tinha uma enorme capacidade de se transformar no que bem entendesse. Conseguia, por exemplo, virar uma árvore se quisesse se esconder de seus amigos em brincadeiras de esconde-esconde. Em outras ocasiões, Abdul se transformava em cachorro para correr alegremente pelos jardins, gramados e campos junto a seus irmãos.

Um dia, Abdul deparou-se com a porta trancada de um aposento do palácio ainda desconhecido para ele. Resolveu assumir a forma de uma mosca para passar pelo buraco da fechadura e poder adentrar o cômodo incógnito. Lá dentro, havia um enorme baú, lacrado por um cadeado. Transfigurou-se em uma chave para conseguir abrir o fecho. Ao abrir a tampa da arca, viu em seu interior uma lâmpada, que magicamente sugou Abdul, aprisionando-o.

Lembro como era comum eu ouvir quando criança: "Que garoto inteligente!", "o Leonardo é muito estudioso", "esse menino é um crânio" etc. De tanto ouvir tais coisas, vesti-me com esse personagem. Conforme fui crescendo, tomava atitudes alinhadas a ele: lia muito, tirava boas notas nas provas do colégio e ia esculpindo minha fama de nerd. Ao mesmo tempo, as pessoas do meu círculo mais próximo de convivência iam dando a sua carga de contribuição para reforçar o processo, continuando a me tachar de inteligente, estudioso e CDF. Eu reforçava meu comportamento nerd de um lado, e, de outro, família e amigos reforçavam a opinião sobre o que eu era. Quem começou esse ciclo, que se retroalimentou durante anos e anos: eu ou meu entorno? Teria eu uma predisposição pessoal inata a me tornar nerd? Ou teria tudo começado a partir do rótulo que me foi sendo colocado pelos outros? Ou talvez um pouco das duas coisas? Difícil responder, e até certo ponto é irrelevante descobrir. Quer tenha sido uma característica particular minha, quer tenha sido fruto de estímulo externo, o fato é que eu me aprisionei nesse personagem. Ser nerd era o pedido que o mundo me fazia. Ser CDF era a expectativa que tinham de mim. Ser estudioso era a solicitação que os outros queriam.

E quanto a você? Quem o mundo lhe pediu para ser? Qual personagem seu círculo de convivência esperava que você interpretasse? Qual jeito de ser alinhava-se melhor às expectativas e aos desejos dos outros? Há quem tenha se amoldado para ser a "princesinha" da família e quem tenha se construído para ser a "ovelha negra" da casa. Há quem tenha crescido para ser o "brigão". A lista é interminável: o "coitadinho", a "malvada", o "fraco", a "ajudante" etc. Toda família tem seus personagens, que atuam de modo a cumprir determinada função esperada pelos outros membros do grupo. Cada indivíduo vai sendo encaixotado em determinada posição necessária para o funcionamento geral do sistema familiar, mesmo que não tenhamos a mínima consciência de qual seja nossa função específica para o contexto de nossos lares. Trata-se de um personagem certamente útil, tanto para o grupo quanto para o indivíduo.

É cômodo para uma família ter o seu "submisso", já que ele pode fornecer aos outros membros uma válvula de escape para descarregar suas respectivas raivas e frustrações. Para outro clã, talvez seja conveniente ter a sua "sofredora", que serve por vezes de apoio para que outros membros "heróis" exerçam seus papéis. Em outros casos, pode ser oportuna a presença de um "doido", servindo para "atestar" a sanidade mental dos outros familiares. Naturalmente, não existe nenhum contrato escrito assinado em que cada membro da família se compromete a exercer determinado papel pelo bem comum de todos. Essa distribuição e ordenação de funções, que cada personagem vai assumindo dentro da constelação de cada agrupamento, ocorrem de modo completamente inconsciente. Trata-se de um acordo tácito subliminar em que cada um vai adotando, mesmo sem notar, seu lugar "de direito".

Não só para a família existem vantagens: cada um de nós também se beneficia em abraçar seu respectivo posto. Ele nos confere um forte sentido de identidade, um ingresso para o clube doméstico. Ser o "hipocondríaco" pode ser útil para atrair atenção e carinho com cada doença. Ser a "distraída" pode gerar proteção e distância em relação aos conflitos caseiros. Ser o "imaturo" intensifica e prolonga a interação e os cuidados dos pais. É óbvio que não somos um único tipo o tempo todo, já que temos inúmeras outras facetas de personalidade. Mas é igualmente óbvio que nos apegamos com prioridade a um ou alguns poucos personagens. Temos uma máscara "carro-chefe" que nos pedem para vestir e combina melhor com a miríade de tipos dentro da dinâmica familiar. Forma-se um pacto silencioso, e cada membro do clã passa a vestir sua respectiva máscara principal para reforçar a sensação coletiva inconsciente de segurança. É propício para sustentar a trama invisível que une o grupo e é proveitoso para cada indivíduo ganhar seu lugar "adequado" dentro do enredo doméstico. Mas logicamente sabemos que nem tudo são flores. Estão aí as intrigas entre parentes, as fofocas nos almoços de domingo e os conflitos domésticos a nos alertar para quão frágil pode ser o equilíbrio dinâmico dessa dança de máscaras e personagens.

Ao desenvolver nosso personagem principal dentro do contexto familiar, começamos a nos aprisionar em uma rígida colocação que nos esperam protagonizar, quer tenhamos ciência disso ou não. Neste ponto exato, começamos a entrar na primeira e mais importante de nossas gaiolas mentais. É precisamente nesse estágio que somos capturados para o interior da "lâmpada mágica".

Esfregar a lâmpada para conseguir ter três desejos atendidos. Quem nunca sonhou com essa possibilidade? Não sei quanto a você, mas eu particularmente já tive inúmeras fantasias a respeito do que poderia pedir ao pensar sobre a parábola do gênio da lâmpada. Será que eu faria escolhas pessoais ou coletivas? Será que solicitaria mesmo os três pedidos ou apenas um ou dois? Ou será que não faria pedido nenhum? Desejaria eu ganhar fortuna e fama ou pediria a paz mundial? Mas, apesar de imaginar cenários os mais variados possíveis, em uma coisa eu não havia pensado antes: **eu nunca tinha me colocado no lugar do próprio gênio da lâmpada!** Ah, o lugar do gênio da lâmpada! Quanto de gênio da lâmpada cada um de nós não carrega, hein?

O gênio da lâmpada é um cara que tem todos os poderes do mundo para atender aos pedidos dos outros. Ele devota a própria vida a atender os desejos alheios. Mas talvez justamente por isso ele seja um infeliz prisioneiro de sua própria missão. O gênio da lâmpada padece dentro de seu próprio cárcere, confinado a dedicar a vida a salvar o outro. E não deixa de ser irônico que, mesmo ao contemplar seu amo com os três desejos, o desfecho muitas vezes seja ruim, desfavorável ou trágico para os dois. Será que as pessoas realmente sabem o que querem?

Quanto não temos em nós da figura de gênio da lâmpada? Quanto não nos iludimos com a nossa capacidade de atender aos desejos alheios e de salvar o outro? Quanto não nos aprisionamos e nos encaixotamos tristemente dentro dessa missão ilusória? Quanto será que sabemos de verdade o que queremos e do que precisamos? Concretizar o sonho alheio seria solidariedade ou ilusão? Quanto você tem de gênio da lâmpada dentro de si?

Na maioria dos contos e histórias, o gênio, apesar de importante, costuma ser um personagem secundário da trama. Tendemos a nos identificar com mais facilidade com os protagonistas do que com os coadjuvantes. Talvez por isso eu nunca tenha conseguido me enxergar dentro desse personagem.

Ser nerd parece ter inúmeras vantagens, né? Os pais ficam orgulhosos com as boas notas nas provas, é gostoso ser chamado de inteligente, as perspectivas profissionais podem ser promissoras, a solução de desafios intelectuais é prazerosa etc. Mas, para toda máscara, existe um lado B. Minha persona nerd também vinha acompanhada com um combo de desvantagens. Ser CDF implica frequentemente em descuidar da saúde do corpo. Ser nerd significa, muitas vezes, ter dificuldades com vínculos sociais. Ser estudioso corresponde a, não raro, tornar-se objeto de bullying.

Assumir um posicionamento no esquadro familiar, vestindo sua respectiva máscara, não é bom nem ruim em si. Trata-se quase de um processo natural, por assim dizer. O que pode nos fazer sofrer não é qual papel nos coube, mas ignorar que um dia fomos confinados a ele. Independentemente de qual tenha sido, tomar consciência de que fomos encarcerados dentro do personagem é o primeiro passo rumo à libertação. Abandoná-lo nem sempre é necessário, visto que nos traz aspectos positivos. Em geral, o que realmente buscamos ao escapar do aprisionamento de dentro da lâmpada mágica é abdicar da parte negativa.

A origem da figura do gênio da lâmpada remonta à mitologia árabe. Desde tempos imemoriais, a cultura pré-islâmica do Oriente Médio traz o ícone do *jinn* (às vezes grafado como *djinn, djin, genii* ou *djim*), um ser sobrenatural formado a partir do ar e do fogo, sem limitações físicas como os humanos, com amplos poderes e capaz de se metamorfosear em múltiplas aparências diferentes. Seus "corpos" já foram descritos como etéreos, enfumaçados, luminosos, sutis, enevoados ou delgados. Eles podiam transitar através de qualquer material, dada a natureza da sua constituição. Para alguns, eram vistos como nuvens ou sombras; para outros, tinham uma aparência humana convencional. Em certas ocasiões, podiam disfarçar-se sob a aparência de animais, que eram até mesmo adorados como deuses ou deusas por determinadas culturas árabes ancestrais. As vozes e os sons produzidos pelos *jinn* já foram descritos como próximos da voz humana, mas também como parecidos com o zunido de insetos, ruflar de tambores, uivos, gritos, sussurros, gorjeios, murmúrios, música, assobios e outros. Tais sons eram inclusive utilizados como parte de rituais para comunicação, encantamento, atração, afastamento ou magias relacionadas aos *jinn*.

Entidades imateriais são, historicamente, parte constituinte da cultura de quase todos os povos. Tribos africanas, antigas civilizações como a grega, comunidades orientais, indígenas americanos, religiões diversas: praticamente qualquer aglomerado humano de que se tem notícia tem seus respectivos ícones representativos do sobrenatural, espiritual e imaterial. Fantasmas, monstros, espíritos, anjos, demônios, querubins, sereias, elfos, gnomos, bestas, fadas, bruxas, feiticeiros, centauros, ninfas e muitos outros tipos de seres não animais e não humanos são parte integrante do imaginário popular universal.

Acreditava-se que os gênios podiam eventualmente se apoderar do corpo dos seres humanos, para o bem ou para o mal. Quer fosse uma "possessão" positiva, como para trazer arroubos de inspiração a poetas, artistas ou profetas; quer fosse para aspectos negativos, tais como prejudicar, enlouquecer, danificar, atormentar ou matar. De acordo com a tradição folclórica árabe, os anjos foram criados a partir da luz do fogo divino, os bons *jinn*, a partir das chamas, os maus *jinn* (ou *shaitans*), pela fumaça e a humanidade, a partir da poeira. Reza a lenda que os *jinn* surgiram 2 mil anos antes de Adão, o primeiro ser humano.

Tradicionalmente, os poderes dos *jinn* procurados pelas pessoas incluíam: matar inimigos, promover amizades ou inimizades, aumentar a saúde, ganhar dinheiro ou a concessão de desejos variados. Eles também eram invocados para praticar assombrações e assassinatos, através de práticas de magia negra. Atividades de adivinhação eram amplamente comuns entre os árabes pré-islâmicos. Acreditava-se que os videntes, com sua arte de predizer o futuro, entravam em contato com os gênios para obter o conhecimento que interessava aos seus consultantes. Com sua movimentação veloz, os *jinn* conseguiam rapidamente ascender aos deuses e apreender as informações divinas e trazê-las aos adivinhos. As práticas de feitiçaria também podiam incluir algum tipo de adoração aos *jinn*, mantendo-os como um espírito aliado ou escravo. Sacrifícios animais, incenso, adornos e produtos eram oferecidos pelos adoradores. Tais práticas deram origem a seitas baseadas na adoração aos gênios, por exemplo, o sabeísmo, uma religião babilônica. Magos podiam também se aproveitar dos *jinn* com o intuito de obter inspiração poética. Para isso, o feiticeiro isolava-se em uma caverna, uma sala vazia ou um calabouço para aguardar a chegada do gênio. Acreditava-se que as palavras assim inspiradas tinham poderes mágicos e podiam vir ou em linguagem ininteligível ou em versos rimados.

Nos idos pré-islâmicos, a veneração aos *jinn* como deidades era particularmente evidente, por exemplo, na antiga cidade síria de Palmira, um local de grande entroncamento de povos e culturas ancestrais: desde os amoritas, passando por arameus, árabes e romanos. Tal culto era comum e espalhado por diversas outras regiões da Arábia, da Babilônia e do Oriente Médio. Especula-se que o termo *jinn*, associado aos deuses venerados em Palmira, tenha dado origem ao vocábulo latino "gênio", em razão do intercâmbio entre árabes e romanos na região. Os latinos romanos usavam o termo *genii* para designar deidades que tutelavam pessoas e lugares, cuidando de suas vidas e seus empreendimentos. Tais espíritos protegeriam grupos, caravanas e assentamentos, ou mesmo os povos em processo de sedentarização, que estavam deixando a vida nômade da época. A miscigenação cultural e o sincretismo religioso eram bastante presentes nesses cruzamentos econômico-sociais do Oriente Próximo, na primeira metade do primeiro milênio.

Existem vários subtipos de *jinn* descritos, cada qual com características, comportamentos e poderes diferenciados. Dentre os mais conhecidos, podem-se citar:

- *Ifrit*, um tipo particularmente poderoso de gênio, que costuma estar associado com grandes habilidades mágicas. É a classe de *jinn* mais frequentemente presente em narrativas e parábolas.
- *Marid*, uma espécie de gênio com capacidades de predizer o futuro através de ferramentas astrológicas, habitualmente descrito em contos relacionados à figura do rei Salomão. Tem poderes mágicos superiores aos *ifrit*. Os *marid* eram, por vezes, considerados regentes ou comandantes dos *ifrit*.
- *Shaitan*, usado para designar todo *jinn* maligno.
- *Ghoul*, uma criatura sobrenatural capaz de assumir infinitas formas e com predisposição para usar tal poder para ludi-

briar, encantar e seduzir pessoas, particularmente viajantes noturnos do deserto. Invariavelmente, levam suas vítimas à loucura ou à morte.

- *Shikq*, um gênio com um bizarro corpo pela metade, como se cortado ao meio. O encontro entre humanos e *shikqs* terminava corriqueiramente em briga e luta, quer fosse pelo incômodo causado pela falta de simetria e completude que as figuras com apenas um braço, uma perna, meio tronco e meia cabeça, quer fosse pela busca da inteireza que os *shikq* invejavam nos humanos.

Muitos rituais e simpatias foram cultuados entre os árabes pré-islâmicos com o objetivo de exorcizar e afastar os maus gênios: amuletos feitos de ossos ou dentes de alguns tipos de animais específicos, declamar alguns encantamentos escritos em siríaco (um antigo dialeto), hebraico ou árabe, portar pés de coelho, usar colares de contas especiais, queimar certos incensos específicos e até mesmo imitar o zurrar de burros.

A melhor forma de entender como funciona um cérebro humano adulto é compreendê-lo a partir da época da sua formação. Conforme aprendemos na escola, o encéfalo é produzido fundamentalmente desde o útero de nossas mães até o término da adolescência. Todos os nossos principais circuitos neurais aparecem, crescem, se fortalecem e estruturam-se dentro desse período crítico de nossa vida. Se quisermos realmente conhecer alguém a fundo, não é sabendo apenas onde mora, o que come, veste, no que trabalha, nem o que racionalmente pensa ou relata sobre si mesmo. Nada disso vai nos ajudar muito a traçar o panorama adequado de operação mental desse indivíduo (não que essas informações não tenham sua importância relativa). Mas se quisermos, de fato, compreender alguém, precisamos saber o que essa pessoa viveu em sua infância. Aí está o pulo do gato. Em última análise, somos a nossa biografia (especialmente a parte mais importante para efeito de constituição cerebral: a infância). Somos a nossa história. Não, nós não somos simples produto de uma fotografia atual do momento. Somos fruto de um filme bem mais longo do que apenas os acontecimentos contemporâneos de nossa vida. Nosso cérebro não apareceu "do nada" nesse presente momento, comandando-nos desse ou daquele jeito. Ele tem uma história bem mais antiga, rica e profunda. História essa que, não raramente, costumamos (não sem motivo) ignorar na maior parte do tempo.

É a partir de todas as experiências de nossos primeiros anos que as redes de células nervosas vão se estabelecendo. São tais vivências que determinam por que desenvolvemos mais certas áreas do que outras em nosso cérebro, por que temos mais afinidade por certas coisas do que por outras, por que preferimos certos hábitos a outros, por que temos mais rejeição a isso e menos àquilo, e por aí vai. No bebê e na criança, cada novo episódio vai modelando a estruturação do encéfalo. É óbvio que temos uma bagagem genética que nos *predispõe* a determinadas características comportamentais, mas o que realmente as *sacramenta* são nossas experiências primordiais. Gêmeos univitelinos (pessoas com o mesmo DNA) apresentam comportamentos e personalidades diferentes, gerados exatamente pelo fato de experimentarem circunstâncias e percepções únicas e distintas ao longo de suas respectivas infâncias (mesmo que morando na mesma casa, com as mesmas pessoas e vestindo roupas iguais), a despeito de terem sido programados para ser fisicamente iguais.

Diga-me como foi sua infância, e te direi quem és. O que você considera mais impactante para sua vida: um tremendo problema financeiro pelo qual passou recentemente ou uma bronca dada por sua mãe quando você tinha cinco anos? Tendemos a achar nossos problemas atuais muito mais relevantes, mas isso nem sempre é o caso sob o ponto de vista do funcionamento neuronal. Não que nossas agruras do dia a dia não sejam significativas, não é isso. Porém, para efeito do cérebro, elas são quase irrelevantes quando comparadas aos acontecimentos dos idos pueris, que marcaram indelevelmente suas impressões digitais em centros profundos dentro de nossa cabeça. A lógica para isso é muito simples de compreender: o que aconteceu durante a fase de construção do cérebro *passa a fazer parte* da própria constituição física dele; ou seja, experiências infantis ficam estruturalmente impregnadas, em nível físico-químico, em núcleos muito profundos e importantes no interior do crânio. Nossas vivências quando crianças incutem o processamento da dinâmica do arranjo das sinapses (a comunicação entre as células nervosas) — tal qual gado marcado a ferro quente. Quanto mais precoce o acontecimento, mais potencial ele tem para influir decisivamente em como o cérebro se forma e, consequentemente, em quem passamos a ser. Desse modo, o período fetal tem maior potencial de influência do que a primeira infância, a qual, por sua vez, tem mais chance de impacto do que a fase escolar, e assim por diante. Ao final da adolescência, a estrutura do cérebro adulto está finalizada. A janela fundamental de crescimento, estruturação e modulação está fechada. A partir desse ponto, as vivências passam a ter um caráter muito mais *reativo* do que *construtivo* para a massa encefálica. Em outras palavras, o cérebro adulto tende a reagir aos acontecimentos exteriores como uma fagulha ou uma faísca que deflagra o disparo de circuitos neuronais formados anteriormente para reagir ao estímulo ambiental de um modo específico, tendo por base um molde encefálico já pronto. Temos, então, uma situação bastante distinta agora, pois antes, quando ainda era um cérebro infantil, os acontecimentos exteriores determinavam a própria construção das tramas de sinapses.

Vale um esclarecimento aqui: tanto o cérebro adulto quanto o infantil apresentam a capacidade de operar no "modo reação" ou no "modo construção". Não se trata de algo apenas preto ou branco. Contudo, sabemos que o cérebro de um bebê tem uma tendência prioritária para o "modo construção" (aquele em que as vivências passam a estimular a própria formatação das redes neurais), ao passo que o cérebro de um idoso tem uma tendência prioritária para o "modo reação" (aquele em que as vivências ativam circuitos já existentes, sem necessariamente modelá-los). Dessa forma, conseguimos explicar por que é muito mais fácil o aprendizado para um garoto do que o de um ancião. O encéfalo de uma menina é muito mais permissivo a ser *reconectado* a partir de eventos externos do que o de uma senhora. A senhora tende muito mais a *reagir* a um episódio exterior, com base em modelos neurais já assentados, do que a se reconstruir a partir desse episódio.

Espero que, a esta altura, você já esteja um pouco sensibilizado a respeito do enorme valor do período fetal até a adolescência, sob o ponto de vista das neurociências. Como este não é um livro de pedagogia, nem de educação de filhos, tampouco de sociologia, vim batendo insistentemente (talvez até demais) na tecla da infância até agora para que você reflita sobre a sua. Isso mesmo. Não quero que você pense, neste momento, em seus filhos, netos, sobrinhos, alunos, afilhados etc. Sim, eles são muito importantes e os amamos bastante, porém a minha intenção com esta exposição acerca da neurociência pediátrica foi para que você começasse a pensar a respeito do início da sua própria vida. Jamais salvaremos nossas crianças se não nos salvarmos antes. Não existe algo como fazer certo com meu filho, mas continuar fazendo errado comigo mesmo. Por favor, poupe-me de discursinhos batidos, como: "Mas eu não lembro *nada* da minha infância..." ou "eu tive uma infância linda e maravilhosa. Foi *tudo* ótimo!" ou "*nunca* tive momentos agradáveis quando criança" ou "*sempre* fui um menino feliz, sem *nenhum* problema". Vamos tentar maduramente deixar de lado os *nada*, *tudo*, *nunca*, *sempre*, *nenhum* e *todos*. As ilusões alimentam-se de extremos, mas a vida real é vivida na trincheira dos *meios*, caro leitor. O discurso de extremos é próprio dos infantes e, idealmente, deveria ser aos poucos deixado de lado se quisermos parar de ser governados pela criança que carregamos dentro do nosso crânio.

Não se lembrar da própria infância já carrega um grande símbolo, uma enorme carga de informação. Apertando a tecla SAP, quer dizer que a infância carrega feridas tão profundas e mal digeridas que o cérebro fez um ótimo trabalho de faxineiro, varrendo tudo para debaixo do tapete do inconsciente. "Se eu não lembrar, não vou sofrer", supôs (erroneamente, devo alertar) o faxineiro. O outro clássico, "tudo foi perfeito", trocando em miúdos, significa que se vendeu a própria liberdade individual para conseguir ser o "queridinho" dos pais, virando alguém que vive de modo miseravelmente sofrido por ter que vestir diariamente o personagem que carrega as expectativas exigidas pelos pais. O "nada de bom houve na minha infância", traduzido para o português, corresponde a assumir um papel de vítima. Pensa-se na vida medíocre atual como resultado direto da falta de sorte de berço.

Máscaras, personagens, rótulos, armaduras e afins nos foram de extrema importância como mecanismos de defesa contra as experiências negativas que tivemos lá atrás. Afinal de contas, eles estavam lá para nos proteger quando ninguém mais o fez. Um viva para eles! Nossa profunda gratidão! Pudemos, mesmo que aos trancos e barrancos, preservar-nos ao máximo para sobreviver até aqui graças em parte a eles. O cérebro infantil em formação nos brindou com um mecanismo automático e inconsciente para lidar com frustrações. Diante de adversidades, fomos construindo uma identidade em torno desse sistema de defesa. Sempre que nos sentíamos ameaçados, reforçávamos a identidade mais adequada a nos proteger afetiva, emocional e fisicamente. A criança violentada pode, por exemplo, aferrar-se à agressividade como forma de amparo, transformando-se em um adulto abusador. O menino preterido pelos irmãos na preferência dos pais pode agarrar-se ao exibicionismo como mecanismo para lidar contra sua invisibilidade dolorida, virando um homem potencialmente narcisista. A menina que conviveu com um genitor permanentemente doente pode, em alguns casos, modelar uma identidade vitimista como modo de procurar sugar ("puxar para si") parte do sofrimento do enfermo numa tentativa de salvá-lo (e, consequentemente a si mesma), tornando-se uma mulher ímã de doenças.

Vale ressaltar três pontos aqui. O primeiro é que tais mecanismos de defesa esculpem o nosso próprio senso de identidade: passamos a acreditar, com o passar do tempo, que somos a nossa própria máscara protetora. Trata-se, talvez, de uma "justa homenagem" que o cérebro presta a quem nos foi tão útil para trazer sensação de segurança quando as coisas não iam bem, livrando-nos de vários apuros.

O segundo é que não escolhemos voluntariamente nosso personagem de defesa. O processo todo ocorre de forma automática e inconsciente, antes do aparecimento da mente racional lógica, que surge bem mais tarde em nossa vida. Por isso, quando olhamos para trás para tentar resgatar tais fatos, a sensação inicial é a de que "sempre fui assim". Mas não é o caso. O mais correto a dizer é: "Eu não consigo perceber conscientemente quem fui antes de precisar de uma identidade protetora, que hoje deduzo (erroneamente) ser a totalidade de mim mesmo".

O terceiro é que esses artifícios de defesa são tão caros à sobrevivência afetiva do encéfalo que eles são armazenados, blindados e cimentados em núcleos e circuitos neurais muito profundos e antigos. O cérebro leva tão a sério a importância de nossa identidade de defesa que ela passa a habitar zonas muito sensíveis dentro do crânio: as áreas correlacionadas aos instintos de sobrevivência. Assim, qualquer mínima tentativa de fugir ao papel dispara imediatamente circuitos neuronais ligados à dor e ao medo de morrer. A preservação da identidade protetora, no cérebro, passa a assumir a mesma importância que a preservação da vida física. Em outras palavras, para o sistema límbico (a parte relacionada principalmente a emoções e memórias), um ataque à identidade de defesa seria o mesmo que um ataque à própria integridade física, gerando dor e medo.

Sem a devida coragem para nos despir de máscaras, personagens, armaduras, rótulos e afins, muito pouco (para não dizer nada) pode ser feito de realmente eficaz no intuito de alterar aspectos de fato significativos em nossa malha neuronal. E sem uma mudança desse tipo, sinto informar, diga adeus aos sonhos de transformar hábitos, melhorar ou prosperar intimamente. Sim, eu sei que tais mecanismos de defesa nos foram essenciais em fases marcantes, mas a sua utilidade vai caducando com o passar do tempo. Eles são indispensáveis quando surgem, porém vão perdendo a necessidade real e prática de existir conforme nos tornamos adultos, amadurecemos e evoluímos. Trata-se de um custo mental, temporal, energético, emocional e espacial grande demais para ser mantido indefinidamente, ocupando milhões e milhões de neurônios que poderiam muito bem ser liberados para realizar trabalhos muito mais criativos, alegres e prósperos. O benefício dos escudos de defesa é enorme quando surge, mas vai decaindo progressivamente ao longo do tempo, ao passo que o custo vai paulatinamente crescendo. O grande problema é que o cérebro não desliga essas proteções sozinho, pois as considera como parte integrante definitiva de si mesmo, incrustando-as em nossa própria personalidade e senso de identidade. Só nós mesmos podemos informar a ele que já é seguro e necessário abandonar as armaduras e máscaras construídas lááááá atrás. Na verdade, qualquer um pode nos informar que já é hora de mudar (e ouvimos isso de todos os lados, a todo instante, né?), mas nenhum conselho externo tem poder para fazê-lo. Trata-se de um botão vermelho íntimo de livre-arbítrio que só mesmo cada um de nós tem capacidade de acionar. E é extremamente difícil fazê-lo, pois envolve não apenas um despir de aparências e rótulos de defesa, mas também uma reconstrução da própria noção de autoidentidade que está colada junto a eles. Mas acho que estou me adiantando um pouco aqui. Retomaremos esse conceito de metamorfose íntima mais adiante, lá para o final do livro. Há ainda um bom miolo a ser destrinchado antes disso.

Todavia, difícil não é o mesmo que impossível, certo? Então, vamos lá: como lidar com essa enorme carga de passado mental-neural que nos condiciona hoje? Em primeiríssimo lugar, não se pode negar o óbvio: a magnitude fulcral que a época de composição do sistema nervoso central assume como definidor para o que acontece conosco neste exato momento. (Uma sugestão aqui direcionada em especial a quem ainda continua considerando insignificante a dimensão da própria infância para autoconhecer-se: recomendo tomar a primeira saída de emergência e deixar este livro de lado. Ele definitivamente não é para você.)

Em segundo lugar, vamos separar o joio do trigo. Imagine que cada acontecimento de sua infância seja um manequim amorfo (sem rosto, sem expressão, sem feições, sem sexo, quase um palito seco inespecífico). Um após outro, cada manequim desses vai passando pelo palco da nossa vida durante os nossos primeiros anos, cada um representando uma experiência diferente. De maneira totalmente automática e subconsciente, nosso cérebro mirim vai cobrindo esses manequins com vestes emocionais. Nossos neurônios revestem cada um deles com uma roupa sentimental. Cada episódio ganha seu traje afetivo. Um tapa do meu pai pode ganhar uma capa de raiva. Um beijo da minha mãe pode ser embrulhado com um gorro de carinho. Uma brincadeira com um amigo pode ser trajada com uma camisa de entusiasmo. Uma após outra, toda vivência passa a ser colada a uma emoção específica.

Para efeito da modulação das sinapses e respectivas redes neurais, é quase irrisório qual seja o manequim (episódio) em si. O que na verdade impacta de forma intensa e profunda o encéfalo são as roupas emocionais (sentimentos) que vestem cada acontecimento e são armazenadas na nossa memória. Manequins desnudos não afetam o cérebro. São as emoções e os sentimentos associados a cada ocorrido que, de fato, forjam a estrutura neuronal profunda. Em outras palavras, o cérebro está "se lixando" para o que houve em cada momento de nossa infância. O fato "cru" em si é quase desprezível para o cérebro, quer tenha sido uma briga, uma festa, um abraço, um estupro, uma viagem, uma separação, um assalto, um sequestro, um cafuné ou um castigo. Não são as ocorrências em si que sensibilizam o maquinário neuronal, mas os sentimentos e as emoções guardados junto a cada uma. O que em verdade esculpe visceralmente o encéfalo são as roupas, não os manequins. O problema é que, como essa operação mental de associar um sentimento a cada fato se processa de modo automático e subconsciente, somos levados a crer que manequim e roupa representam um bloco único e inseparável. Mas isso não é verdade. Ao recordar um evento passado, inevitavelmente puxamos junto o sentimento associado a ele. Nesse processo de lembrança, tendemos a reforçar a ideia (enganosa) de que manequim e vestimenta são um conjunto indissolúvel. Porém, isso não corresponde à realidade. Os fatos do passado são fixos e imutáveis. Não há como voltar ao passado para viver acontecimentos diferentes. Nossos manequins sempre serão os mesmos. Entretanto, os sentimentos guardados com cada acontecimento não são fixos e imutáveis. A roupa (com seu respectivo cheiro de naftalina) guardada junto com o manequim pode, sim, ser trocada. Fato e sentimento podem ser separados, sendo que o primeiro não muda, mas o segundo pode ser alterado. Como, para efeito de cérebro, o que vale mesmo são as vestes emocionais e a indumentária sentimental, está plenamente ao nosso alcance modificar partes cruciais da nossa mente, desde que notemos a importância de separar o manequim da vestimenta e percebamos o potencial gigantesco que a remodelação de sentimentos sobre eventos e pessoas cruciais dos nossos idos infantis pode ter.

No fundo, não temos culpa alguma de ter nos metido no personagem (personalidade) que trajamos atualmente. Afinal, está aí a neurociência para nos eximir por completo dessa autoria. Não, também não é culpa das pessoas que conviveram conosco. Vale ressaltar que elas mesmas estavam presas aos seus próprios personagens, sem a menor ideia de como se livrar das inevitáveis faces negativas que cada papel traz. Porém, uma vez que se esteja ciente de que fomos enclausurados dentro de um tipo específico, de que ele não representa a totalidade de nós mesmos e de que não se trata de um papel necessariamente permanente, aí sim, passamos a ser totalmente responsáveis pelo que fazer em relação a isso. Se, até ontem, não tive culpa alguma em relação a todos os condicionamentos que me amoldaram até aqui, ainda assim é preciso que eu acorde amanhã e autorize que eles continuem governando a minha própria vida (a partir do ponto de vista do personagem-identidade-defesa). Claro que sempre se pode optar pelo "conforto" da mesmice e do confinamento do piloto automático. A ignorância, a indecisão e a covardia (consigo mesmo) são os melhores aliados do "mesmo de sempre". Só não se pode esperar por milagres, uma vez que a decisão tomada seja a de simplesmente *não decidir*.

DENTRO DA LÂMPADA

Abdul ficou 10 mil anos preso dentro da lâmpada. Sua sina seria aguardar até que alguém a esfregasse, para que ele pudesse se libertar do seu claustro. Mas ele não teria liberdade completa, pois ficaria sujeito a atender três pedidos de quem o soltasse, seu amo.

Ele estava obrigado a usar todo o seu poder para satisfazer às três solicitações de seu mestre, quaisquer que fossem, sem as recusar ou modificar. Não estaria ao seu alcance questionar, nem tampouco reclamar da incumbência a que sua maldição o compelia.

Apenas se o amo escolhesse, como um dos três pedidos, libertar Abdul, ele seria de fato alforriado do eterno confinamento da lâmpada. Caso contrário, retornaria para a clausura, à espera de um novo mestre que esfregasse exteriormente seu cativeiro.

De que é feita a sua lâmpada (ou garrafa, como em algumas versões literárias)? Nas histórias, elas podem ser formadas, tradicionalmente, de barro, vidro, argila, metal ou cerâmica. Podem ter tamanhos e aspectos variados também. Mas, no nosso caso, o material é outro. Nos contos de fadas, as lâmpadas são feitas de um material concreto específico. Na vida real, garrafas e lâmpadas são feitas de ideias. Sim, trata-se de uma baita ironia do espelhamento arte/vida real! Alguns de nós nos aprisionamos numa lâmpada feita de compulsão por comida (ou bebida, ou drogas etc.); outros de nós nos fechamos numa garrafa constituída por fixação em ganhar dinheiro; outros adaptamo-nos melhor em recipientes de luxúria, lascívia e sexo; há quem se amolde melhor em contingentes de raiva, ira, rancor e conflito; outros, de inveja, ciúme ou cobiça; alguns, de negligência, afastamento ou preguiça; outros ainda, de vaidade, soberba e arrogância; e por aí vai...

Alexia nasceu em meio a grandes expectativas familiares, afinal era a primeira menina depois de três varões. Seus pais se casaram em virtude da gravidez de seu irmão mais velho. A mãe dedicava-se aos cuidados com a casa e os filhos. O pai era operário de uma metalúrgica. Ela não se recorda de grandes brigas entre seus pais. Sua mãe lhe parecia sempre serena e resignada, às voltas com servir o marido e os filhos, e não costumava manifestar muitas opiniões ou vontades próprias. Seu pai não era muito de conversar, passava grande período do dia fora de casa trabalhando e, quando em casa, ficava a maior parte do tempo assistindo a jogos de futebol na televisão. As poucas queixas do pai centravam-se em torno de uma eventual demora da mãe em servir alguma refeição ou mesmo em relação à qualidade da comida feita por ela. A mãe, nas raras vezes em que se queixava, costumava pedir algum dinheiro para comprar roupas novas para os filhos. Mas nada disso parecia levar a discussões ou brigas maiores entre os pais. Era um casamento "protocolar", por assim dizer. Se não morriam de paixão um pelo outro, também nunca guerrearam a ponto de se separar. Aos seis anos de idade, Alexia ganhou o presente de aniversário mais marcante de que se recorda: uma pequenina caixa rosada enfeitada com motivos florais, que era palco de uma delicada bailarina giratória dançando ao som de música clássica ao ser aberta. Um presente especialmente dado por sua mãe que Alexia conservou consigo ao longo de toda a vida.

Alguns meses depois daquele aniversário, sua mãe (que vivia sempre às voltas com a labuta doméstica), durante um dos raros momentos de intimidade com Alexia, confidenciou seu grande sonho de moça: ter sido bailarina profissional. Alexia consegue lembrar, como se fosse ontem, a transfiguração no rosto da mãe ao expressar sua paixão íntima juvenil. Um brilho nos olhos e um semblante jovial no rosto da mãe que nunca se repetiu em nenhum outro contexto. Com efeito, Alexia acabou ingressando em uma escolinha de balé aos sete anos de idade, possivelmente depois de muitas "piruetas" dadas pela mãe junto ao pai para convencê-lo a bancar tal luxo numa família de seis com orçamento enxuto. A carreira de bailarina mirim de Alexia foi encerrada abruptamente aos 12 anos, época da morte de seu irmão mais velho por suicídio. Não havia mais clima na família para qualquer tipo de luxo, diversão ou trivialidades após a tragédia. A partir daquele momento, apenas o essencial para sobrevivência física dos remanescentes cinco membros era tolerado. Havia um pacto silencioso e não declarado que não permitia nada que não fosse estritamente necessário. Conversas "supérfluas", gracejos, afetos e sentimentos não eram mais bem-vindos (não que alguma vez tivessem sido).

A história de Alexia com o tabagismo começou na adolescência, e o hábito foi mantido ininterruptamente ao longo da vida (à exceção apenas da época em que esteve grávida). Durante o mesmo período da adolescência, Alexia recorda-se de uma fase em que considera que possivelmente deve ter tido alguma forma leve não diagnosticada de anorexia nervosa, uma condição psiquiátrica em que o indivíduo acometido evita alimentar-se, emagrece bastante e enxerga-se a si mesmo como acima do peso a despeito da silhueta esquelética (distorção psíquica da autoimagem corporal). Ela conta ter buscado alguns bicos como modelo/manequim na juventude, mas nada sério. Não há registro de nenhum namoro firme durante a adolescência/juventude. Seguiu carreira como professora de ensino fundamental. Casou-se aos 33 anos com seu primeiro namorado "sério", única pessoa com quem manteve relacionamento sexual. Teve uma única filha, fruto desse matrimônio com baixa interação sexual. O marido trabalha com contabilidade, não gosta de sair, não tem muitas ambições nem grandes sonhos. O diálogo entre eles basicamente resume-se a tratativas de assuntos corriqueiros referentes ao lar. Mesmo sem uma vida social ativa, Alexia gosta de usar saltos altos, maquiar-se e cuidar do cabelo, que em geral mantém preso a um coque. Sempre foi bastante magra.

Ela não tem muitos registros de problemas de saúde, exceção feita a joanetes e artrose nos dedos dos pés e também a uma tontura giratória crônica que vai e volta, ora mais intensa, ora menos, mas sem nenhuma causa médica definida. Atualmente, ela está com 56 anos e apresenta um câncer metastático de mama esquerda de prognóstico incerto. Presenteou sua filha, hoje com 19 anos, com sua tão estimada caixinha musical de bailarina.

Qual é a lâmpada de Alexia? Não precisamos de muito esforço de imaginação para vislumbrar uma no formato exato de uma sapatilha de balé, dentro da qual ela parece ter submergido na infância para nunca mais sair. Seguir o sonho da mãe foi a maneira que o cérebro em formação dela encontrou para "salvar" uma pessoa tão querida e estimada, sufocada por uma vida reprimida em um ambiente doméstico que nitidamente não a agradava em seu íntimo. As crianças são exímias leitoras da essência dos adultos. Foi assim que a Alexia da infância enxergou o sofrimento materno escondido pelas máscaras e aparências protetoras externas e passou a tentar "salvá-la", usando para isso a materialização simbólica do sonho frustrado da mãe: o balé. O cérebro mirim de Alexia deve ter processado na época algo como: "Se eu concretizar o sonho não realizado da minha mãe, conseguirei libertá-la do seu sofrimento e, consequentemente, salvarei a mim mesma, evitando que ela se afunde numa espiral negativa". Com o advento de tal ideia protetora no inconsciente, foi lançada a pedra fundamental para a construção da lâmpada mágica, dentro da qual ela passaria a direcionar toda a própria trajetória. Note como a sequência de eventos da vida dela é um desfile de símbolos relacionados ao tema *salvar a mãe por meio do balé*: escolinha de balé, corpo magro e anorexia (silhueta de bailarina), deformidade dos pés (dedos de bailarina), tontura giratória (rodopios de bailarina), saltos altos (postura de bailarina), coque (cabelo de bailarina) e maquiagem (face de bailarina). Sua mãe nunca pediu explicitamente para ser redimida. Sua mãe nunca expressou formalmente um desejo para a vida profissional de Alexia. Tratou-se de uma leitura que o cérebro em construção fez inconscientemente para dar conta de uma vivência muito negativa experimentada na época: o sofrimento materno silencioso. Isso deflagrou um mecanismo de defesa que a fez vestir o personagem de bailarina que passaria então a ser seu escudo para lidar com as adversidades da vida. Temos aí o *enredo* completo: a lâmpada mágica (balé), o gênio (Alexia), o amo (a mãe) e o pedido (resgatar o sonho materno).

A história de Alexia não é apenas a história única e particular de Alexia. Ela representa um pouco de todos nós. Tendemos a nos meter dentro de nossa lâmpada mágica (ou máscara de defesa, ou personagem protetor, ou identidade de abrigo ou ego de amparo, como queiram), mas esquecemos de sair. É mais ou menos como se nos enfiássemos dentro de um abrigo nuclear subterrâneo para nos defender de um iminente desastre e lá permanecêssemos para sempre. Muitas vezes a hecatombe nem ocorre. Mas, ainda que aconteça, preferimos ficar por lá mesmo depois de transcorrido muito tempo, quando já seria absolutamente seguro (e necessário) sair. Dentro da garrafa é conhecido, familiar e aparentemente seguro. Para que sair, né? A resposta é simples: para assumir o protagonismo da própria vida, porra! Eu tenho um amigo que costuma usar uma analogia um tanto mais rústica e explícita para explicar a ideia: é como se estivéssemos imersos dentro de um ofurô de merda, só com a cabeça para fora; fede, cheira mal, é tosco, é imundo, mas é quentinho e, se não nos mexermos muito, acabamos nos acostumando e até achando confortável e aconchegante. É impressionante a nossa capacidade de nos conformar com um viver tóxico, podre e apertado dentro das nossas lampadinhas medíocres. Outra amiga, menos rústica, costuma falar: "Ah, sei, então quer dizer que você deseja que [todos] os seus problemas sejam resolvidos sem que você tenha que mudar [profundamente] nada, né? Ok, tranquilo. Faça o seguinte então, amigão: pegue a sua senha e vai lááááá pro final da fila, tá?! Logo, logo deve chegar sua vez. Sua posição deve ser a de número 7 bilhões e pouco...".

O interior da vasilha mágica pode até ser seguro, mas vai ficando cada dia mais apertado, vamos nos sufocando com a falta de ar e de espaço. Dentro da lâmpada encantada pode até ser confortável, mas a conta pela falta de liberdade vai ficando cada vez mais custosa e insustentável de ser paga. A fidelidade ao passado de cativeiro no seio do pote enfeitiçado pode até parecer correta, mas se torna, com o passar do tempo, cada vez mais inautêntica e falsa; e a manutenção desse embuste passa a representar uma completa infidelidade para com o futuro da melhor versão de nós mesmos, que preferimos nunca deixar chegar, mantendo-o afastado do lado de fora. Entramos na lâmpada sem perceber e permanecemos engaiolados, sem nem sequer nos dar conta de que estamos presos.

Um tempo atrás, atendi Simão em meu consultório (atuo como médico neurologista e neurocirurgião em São Paulo). Seu problema eram dores de cabeça episódicas intensas que comprometiam sobremaneira sua qualidade de vida. Antes de iniciar acompanhamento comigo, ele já havia se submetido a um sem-número de exames cujos resultados todos foram inconclusivos. Também já tinha testado uma lista interminável de medicamentos, sem nenhuma melhora significativa. Seu infortúnio teve início logo após sua formatura no colégio militar. Ele trabalha como piloto da Aeronáutica. Aviões sempre foram a grande paixão de seu pai, um juiz aposentado, que, apesar de colecionador voraz de miniaturas de aeromodelos, nunca pilotou sequer um drone. Simão é filho único de um casal que vivia em pé de guerra. Segundo ele relata, o pai sofria muito na mão de sua mãe. As brigas eram constantes entre eles, aparentemente não de natureza física, mas de grande intensidade verbal. Sob seu ponto de vista, seu pai era sempre a "vítima" e sua mãe, a "agressora". Sua mãe era a "cricri" que costumava alimentar a celeuma entre eles. Ele se recorda de um episódio em que seu pai apontava um revólver contra a própria cabeça e ameaçava puxar o gatilho caso sua mãe não parasse de atormentá-lo. Lembra também de, em uma longa viagem de carro em que os três retornavam de Mato Grosso para São Paulo, seu pai fazer menção de abrir a porta do veículo em movimento e se jogar durante uma querela com a mãe. Em outra ocasião, relata, o pai quase "teve que" ameaçar se atirar da varanda do apartamento em função da ira da mãe. O próprio Simão recorda-se, com amargura, de uma cena de sua infância em que sua mãe injustamente desferiu um tapa em seu rosto após insinuação de uma vizinha do prédio de que ele teria sido o culpado pelo vandalismo do interfone do elevador. Simão relata ainda um sonho recente "muito estranho" (nas suas palavras) em que montava na garupa de uma bicicleta que era guiada por seu pai e eles literalmente voavam. A bicicleta voadora passava por entre nuvens e eles podiam avistar lindas paisagens campestres lá embaixo. Como você provavelmente já percebeu, temos até aqui um cenário completamente armado: uma criança que "compra" o sofrimento paterno, "veste" o papel de redentor do sonho de aviador do pai e passa a antagonizar a "mãe vilã" (e, de quebra, todos os temas femininos, como veremos a seguir).

Simão passou, na adolescência e na juventude, por uma série grande de relacionamentos curtos e conturbados com várias garotas. Paralelamente, foi prosseguindo na carreira militar de piloto (cada vez mais na área administrativa) e cultivando seu hobby favorito: armas e treinamento de tiro. Em uma missão no exterior, engravidou uma garota argentina. Eles se casaram e ela veio morar no Brasil com ele. Seis meses após o parto, a esposa, sob forte estresse emocional, decidiu viajar com a bebê para a Argentina para ficar próxima à sua mãe. Simão nunca mais as viu e ainda hoje luta judicialmente em cortes internacionais para tentar rever a filha, sem sucesso. Após o fim inusitado do seu primeiro casamento, ele se casou novamente alguns anos depois, mas durou pouco, e eles não tiveram filhos. Ele conta ter sérias encrencas até hoje com sua segunda ex-esposa devido ao que chama de trapaças financeiras perpetradas por ela contra ele envolvendo diversas situações, sendo a mais importante um imóvel que os dois tinham em comum. Atualmente, está em seu terceiro casamento. Ficou extremamente contrariado com o comportamento da sua mãe durante a festa desse último casamento, sendo extremamente rude e grosseira com alguns convidados e em especial com os funcionários do bufê, segundo a sua avaliação.

Qual é a lâmpada nesse caso? Enxergo uma em formato de avião. Simão (o gênio) vestiu o personagem de protetor do pai (o mestre) em relação às maldades da mãe (a vilã). Para o salvamento paterno, ele se valeu de dois instrumentos: resgatar o sonho frustrado de o pai não ter sido aviador (o primeiro pedido) e também antagonizar a própria mãe, simbolizada depois por todas as suas agruras subsequentes com os temas relacionados ao universo feminino (o segundo pedido).

O advento da religião muçulmana adaptou e reordenou a crença nos *jinn* sob a ótica islâmica. O Alcorão, livro sagrado muçulmano, evidencia esse rearranjo em torno dessa figura mitológica sobrenatural em diversas de suas passagens. O Islã sustenta a ideia da existência de múltiplos mundos e universos diferentes, muitos dos quais sutis e completamente distantes da percepção humana comum. Sob esse entendimento, os gênios habitariam uma dessas dimensões pouco sensíveis ao contato humano rotineiro. É importante ressaltar que as orientações recebidas por Maomé e transcritas na Sagrada Escritura muçulmana são dirigidas tanto aos homens quanto aos *jinn*, como expresso em trechos no próprio Alcorão. Tanto uma espécie como outra, ambas detentoras da faculdade do discernimento mental e do livre-arbítrio, estariam sujeitas às consequências de suas atitudes mediante a aceitação ou a recusa em seguir uma vida em conformidade com os princípios da lei de Deus. "E Eu não criei os *jinn* e os humanos senão para adorar-Me..." (Alcorão 51:56).

Os *jinn*, sob a perspectiva islâmica clássica, compartilham com os humanos um sentido de responsabilidade religiosa pessoal, a qual será avaliada no dia do Juízo Final, de acordo com a conduta de cada um, tendo em vista a Lei de Deus revelada ao profeta Maomé por intermédio do anjo Gabriel. "Temos criado para o inferno numerosos gênios e humanos. Com corações com os quais não compreendem, olhos com os quais não veem e ouvidos com os quais não ouvem. São como as bestas, quiçá pior, porque são displicentes" (Alcorão 7:179). A título de curiosidade, reza a lenda (possivelmente propalada pelos primeiros detratores do profeta) que Maomé teria confundido inicialmente a figura do próprio anjo Gabriel com a de um gênio. Mas os anjos são habitantes inerentemente bondosos e imortais do Paraíso, ao passo que os *jinn* são seres que habitam dimensões imateriais, estão fora do Paraíso e podem ser entidades boas ou más. Os *jinn*, tanto quanto nós, agrupam-se em tribos, comunidades e sociedades. "Dize (Ó, Muhammad): foi-me revelado que um grupo de gênios escutou (a recitação do Alcorão). Disseram: em verdade, ouvimos um Alcorão admirável. Que guia à verdade, pelo que nele cremos, e jamais atribuiremos parceiro algum ao nosso Senhor" (Alcorão 72: 1-2).

Ainda segundo a tradição muçulmana, tanto humanos quanto gênios podem ter diferentes tipos de credos e convicções. Ambos podem optar por escolhas boas ou más, corretas ou incorretas, tementes ou infiéis. "Ó, assembleia de gênios e humanos! Acaso não se vos apresentaram mensageiros, dentre vós, que vos ditaram Meus versículos e vos admoestaram com o comparecimento neste vosso dia? Dirão: testemunhamos contra nós mesmos! A vida terrena os iludiu, e confessarão que tinham sido incrédulos" (Alcorão 6:130). Os *jinn* são igualmente convidados e orientados a seguir os preceitos divinos e louvar a Deus. Há duas passagens no Alcorão que relatam encontros de Maomé com os gênios (46:29-32 e 72:2-7), sugerindo que a recitação da nova religião trazida através do profeta também se dirigia a eles. Com o advento do Islã, os gênios mudaram de reis (ou deuses) do oculto para servidores da nova religião. Os antigos rituais de feitiçaria, encantamento e magia usados para práticas de adivinhação, possessão e exorcismo foram proscritos. Apenas os preceitos da nascente doutrina muçulmana eram aceitáveis. Assim, para o afastamento dos *jinn* demoníacos e do mal, passou-se a utilizar ritos alinhados com a nova fé islâmica, a saber: a declamação de versos corânicos específicos, o uso dos nomes sagrados de Deus (são diversos no Islã) e o emprego do poder das letras árabes (consideradas símbolos divinos).

A tradição maometana coloca os humanos como superiores aos gênios, sendo a faculdade da imaginação a que mais os distinguiria enquanto suas capacidades intelectuais. Os *jinn* teriam uma capacidade de imaginação muito restrita, usada apenas para se transmutarem em formas variadas para se manifestar no mundo físico. A nossa imaginação, ao contrário, seria completamente ilimitada e profícua. Com o surgimento do primeiro homem, Adão, todos os anjos dos céus logo prestaram reverência à nova criatura de Deus, fato não necessariamente seguido por todos os gênios. Alguns deles teriam se rebelado contra o surgimento de uma criação divina superior, sendo o mais famoso deles, Iblis, o principal líder dessa oposição, considerado a figura demoníaca do diabo.

Árabes pré-islâmicos adoravam gênios, pois acreditavam que eles poderiam trazer fácil acesso a formas superiores de conhecimento, como a manufatura de espadas mais poderosas, já que possuiriam uma arte aguçada para a manipulação de metais. Outra crença comum era de que os *jinn* seriam capazes de transformar terras áridas em áreas férteis. Muitos árabes pré-islâmicos imaginavam que oásis cheios de pomares, palmeiras e fontes d'água eram o trabalho de gênios que defenderiam firmemente essas áreas contra invasores não autorizados, matando-os ou enlouquecendo-os. Antes do advento do Islã, as pessoas pensavam que os gênios eram excelentes nas ciências médicas e seriam capazes de ensinar segredos para a cura de doenças aos humanos. O surgimento do Islã derrubou a maioria dessas crenças e alçou-nos como superiores detentores dos conhecimentos. De provedores de conhecimentos, os *jinn* passaram a buscadores; de entidades superiores exploradoras da realidade oculta, passaram a seres inferiores em relação aos humanos, que por sua vez, a partir da verdade do Alcorão, passaram a suplantar os gênios em termos de sabedoria e conhecimento. Era agora função dos humanos educar esses espíritos nas matérias religiosas sagradas.

O Alcorão reforça o aspecto de composição dos *jinn*, feitos a partir do fogo e do vento. O simbolismo do fogo está potencialmente ligado a aspectos de perigo, destruição, emoções arrebatadoras e paixões. Já o simbolismo do ar e do vento está potencialmente atrelado aos aspectos de invisibilidade e de capacidade de transmutação em formas variadas dos gênios. Essa composição os faz diferir fortemente dos anjos, feitos a partir da luz. Ambos são invisíveis aos nossos olhos (espíritos incorpóreos), porém apresentam graus de hierarquia diferentes dentro da filosofia cosmológica muçulmana. A luz é considerada bem mais poderosa do que o fogo, apresentando um sentido espiritual significativo, com um alcance espacial muito maior do que o último. Anjos pertenceriam à realidade celestial, um local bem superior à realidade intermediária imaginativa oculta habitada pelos *jinn*. Ao contrário dos anjos, que são imortais e cujo alimento são suas preces a Deus, os gênios comem, bebem, dormem, procriam e morrem, tanto como os humanos. São vidas muito mais longas que as nossas, superando milhares de anos, mas, ainda assim, são mortais. Mesmo tendo composições muito distintas; anjos (luz), gênios (fogo e vento) e humanos (barro = terra + água) apresentam um núcleo comum para a tradição islâmica: uma alma. Anjos seriam almas sopradas dentro da luz, *jinn* seriam almas sopradas dentro do ar, e nós seríamos almas sopradas dentro de formas corpóreas.

De 95 a 98% de todo o nosso processamento cerebral ocorre em um nível subconsciente. Isso quando estamos acordados, já que dormindo, obviamente, 100% de toda a nossa operação mental é inconsciente. Os parcos 2 a 5% de pensamento consciente (quando estamos despertos) correspondem, grosso modo, ao que conhecemos mais habitualmente e a que estamos mais acostumados: nossos raciocínios lógicos, linguagem verbal, matemática cartesiana, nexos dedutivos, racionalidade objetiva etc. Em geral, gostamos muito de conhecer e também de nos fazer conhecidos apenas levando em conta esses míseros 2 a 5%.[1] Viver assim, porém, seria como conhecer o mundo olhando apenas pelo buraco da fechadura, sem abrir a porta; e querer ser reconhecido apenas desta maneira seria propaganda enganosa.

A natureza resolveu privilegiar o universo subconsciente por uma razão bastante simples: economia evolucionária de energia. A concatenação neuronal inconsciente é extremamente mais rápida e menos custosa. Neste exato momento, enquanto você está conscientemente apenas dedicado a interpretar este texto (uma palavra após outra, uma ideia após outra), seu cérebro faz simultaneamente um sem-número de operações automáticas concomitantes sem que você tome qualquer conhecimento disso: desde medir o nível de oxigenação no sangue para definir a sua frequência respiratória ideal, passando por recrutar da memória o que significa cada símbolo gráfico (letras e palavras em português) que você está lendo, a até mesmo julgar as ideias lidas com base na comparação com outras anteriormente armazena-

---

1. Estes percentuais são um tanto arbitrários, pois não existe uma proporção rígida entre o consciente e o inconsciente. A depender de que parâmetros são usados, números distintos podem ser obtidos. Assim, eles se prestam mais a uma função didática do que científica, com o intuito de ilustrar quão mais dominante é o processamento mental inconsciente dentro de nosso cérebro.

das e vividas por você na prática. Tornar um pensamento consciente é muito "penoso" para o encéfalo porque se trata de um grande "luxo" evolucionário da nossa espécie. O funcionamento mental subconsciente consome muito menos energia e é amplamente mais rápido, quando comparado ao consciente, além de ser "multitarefa". O pensamento involuntário é muito mais eficiente sob o ponto de vista energético. Ele é como se fosse um veículo econômico que percorre muitos e muitos quilômetros com pouquíssimo combustível, mas com uma performance de velocidade de um carro superesportivo: algo como uma Ferrari com um consumo de Toyota Prius. Para cada porção de glicose (o combustível preferencial do cérebro) utilizada para produzir um único pensamento consciente (lento), é possível fabricar diversos pensamentos inconscientes (rápidos).

Imagine se, para conseguir alcançar uma bolacha ao seu lado e comê-la, você tivesse que se tornar completamente ciente de todas as etapas e funções desempenhadas para conseguir tal feito: abduzir o ombro, estender o cotovelo, estender o punho, abrir os dedos da mão, tocar e sentir a textura da bolacha, depois fechar os dedos e o polegar em torno da bolacha, fletir punho e cotovelo e aduzir agora o ombro em direção à boca, depois abrir a mandíbula para, em seguida, fechá-la e morder a bolacha com os dentes, sentindo paladar e olfato relacionados ao ato, lembrando que, normalmente, todo o processo é feito com o rastreio ocular (com os músculos em torno dos olhos direcionando nossa visão durante o processo) e, ademais, cada uma dessas várias subetapas deve ser empreendida no tempo preciso, na dose de força adequada e na localização espacial correta, sob risco de que a bolacha seja esmigalhada, caia no meio do caminho ou vá parar na orelha no lugar da boca. Já conseguiu dimensionar o tamanho da insanidade que seria estarmos plenamente conscientes, em tempo real, de todas as funções corriqueiras realizadas pelo nosso corpo? Gastaríamos a energia equivalente a talvez dez sacos de bolacha apenas para consumir uma única. Seria um custo-benefício energético proibitivo em termos evolucionários. Além disso, demoraríamos talvez uns quatro dias para conseguir comer uma única bolacha. Morreríamos de inanição ou comidos por algum predador antes de sentir o gosto da bolacha. Assim, a evolução natural de nossa espécie resolveu adaptar nosso cérebro para automatizar o maior número de funções possíveis em um nível inconsciente, para que possam ser realizadas em grande número, de forma concomitante, rápida, ágil e com baixo consumo energético.

Sabendo que um enorme contingente de trabalho mental ocorre de maneira oculta, você poderia talvez ser induzido a elucubrar que os 2 a 5% de nossa racionalidade seriam como a "cereja de nosso bolo intelectual", nosso regente supremo ou grande maestro coordenador de nossas sinfonias neuronais, utilizando sua batuta para orquestrar nossos processos de pensar e, consequentemente, dirigir nossa própria vida, certo? Infelizmente, não é assim tão simples. Há atualmente um grande corpo de evidências neurocientíficas apontando que a maioria esmagadora de nossas decisões se processa em um nível instintivo. Em outras palavras, quando nos apercebemos intelectualmente de uma escolha, ela já foi tomada poucos milissegundos antes por partes de nossa cabeça escondidas da consciência. Chocante, né?

Sempre que me vejo pensando sobre isso, seja lendo estudos, matérias ou livros, seja assistindo a alguma palestra ou vídeo ou mesmo apenas perdido nas minhas próprias reflexões, não deixo de me espantar. Como pode? Um grande contingente de escolhas e decisões sendo tomadas completamente ao largo da minha percepção, com enorme influência na minha própria vida?! Que doideira! Será que estaríamos todos em uma situação como a de *Matrix* (a trilogia cinematográfica) dentro de nossa própria mente? Bate sempre uma melancolia em mim ao pensar nisso, ainda mais para alguém com sérios problemas de controle (tipo *control freak*, mesmo) como eu. Conceber que nosso grau de liberdade para decidir sobre o que talvez nos seja mais íntimo — nossos próprios pensamentos — seja, de fato, muito menor do que costumamos supor é, no mínimo, angustiante. Será que seríamos apenas como uma "rainha da Inglaterra" dentro de nós mesmos? Estaríamos nós louvando uma parte muito pomposa e vistosa, mas pouco poderosa, enquanto o grosso da administração mental está nas mãos do "Parlamento" (o inconsciente)?

A questão de decisões sendo gestadas inicialmente com base em um substrato abaixo do alcance da nossa percepção lúcida é tão séria que tem fomentado pesquisas investigando, inclusive, a possibilidade de previsão científica de nossas escolhas ditas "livres". Há um estudo, por exemplo, publicado em 2013, no qual pesquisadores do Instituto Max Planck de Ciências Cerebrais e Cognição Humana, na Alemanha, foram capazes de medir sistematicamente tal proeza.[2] Eles solicitaram a dezessete voluntários, com seus respectivos cérebros mapeados em tempo real por um sofisticado aparelho de ressonância magnética funcional, que escolhessem livremente entre fazer mentalmente uma conta de adição ou uma de subtração a partir de números aleatórios de um dígito mostrados aos participantes. Os cientistas foram capazes de predizer com incrível exatidão qual seria a opção (somar ou subtrair) até **quatro segundos antes** da escolha voluntária feita

---

2. Soon C. S.; He A. H.; Bode S.; Haynes J. D. Predicting Free Choices for Abstract Intentions. *Proc Natl Acad Sci* USA. 2013, 9 abr.;110(15):6217-22.

por cada um! E, pasme, além disso, os pesquisadores também foram capazes de antever o instante exato em que cada sujeito manifestaria conscientemente a sua decisão. Em outras palavras, tanto a natureza da escolha (o quê) quanto o *timing* dela (quando) foram cientificamente previstos *antes* de as pessoas sequer tomarem consciência das suas próprias preferências.

Recapitulando: em primeiro lugar, nosso aparato psíquico inconsciente decide, por si mesmo, o que vamos fazer, e só depois a decisão tomada é trazida à superfície consciente, que, por sua vez, apenas "toma nota" da escolha já feita, dando quaisquer justificativas ditas lógicas, racionais ou plausíveis para tal. Por mais bizarro que possa parecer, isso explica várias de nossas incongruências comportamentais, não é mesmo? Sinto uma vontade incontrolável de tomar um sorvete, mas estou de dieta. Não resisto à tentação. Daí "eu" (consciente) justifico (o injustificável) dizendo para "mim mesmo" (inconsciente) que, "naquele momento em particular", mereço esse pequeno prazer por x ou y motivos quaisquer, prometendo "compensar" (será?) posteriormente com uma corrida na esteira ou um jantar mais austero à noite. Quem nunca? Você (qual parte?) sente vontade de fumar um cigarro, mesmo tendo todas as razões lógicas e racionais do mundo para não o fazer, mas acaba cedendo ao vício. Onde está nosso painel de controle? Tendemos a achar que é a nossa "rainha da Inglaterra" (mente racional consciente), mas não é o caso. O verdadeiro painel de comando dos nossos comportamentos é o "Parlamento" (mente automática subconsciente), formado por uma infinidade de influências genéticas, hereditárias, familiares, sociais, culturais, políticas, religiosas, econômicas, físicas, educacionais, midiáticas, ambientais etc. O "Parlamento" oculto é uma verdadeira Torre de Babel construída a partir de uma enxurrada gigantesca de condicionantes completamente fora do nosso controle. Tem de tudo, menos a influência da nossa própria reflexão conscienciosa: deixamos a "rainha" de fora do poder decisório, apenas observando, narrando e sofrendo em seu palácio de ilusões. Comemos compulsivamente apesar de argumentos fortes em contrário. Bebemos demais, mesmo cientes dos riscos. Brigamos, discutimos, agredimos e matamos uns aos outros por impulso, a despeito de racionalmente não gostarmos. Trabalhamos demais e dormimos de menos, não obstante termos plena compreensão da agressão contra nossa própria saúde. Culpamos muito e amamos pouco, ainda que saibamos cognitivamente o que é correto.

Ok, ok... Eu sei que parece um tanto claustrofóbica essa sensação de nos identificarmos com a pompa e a gala da "rainha da Inglaterra" (a mente consciente), mas sermos, de fato, governados pela praticidade administrativa do "Parlamento" (o pensamento inconsciente). Explica muita coisa relativa aos atos inteiramente incoerentes com nosso próprio discurso e como acabamos em trilhas de vida totalmente alheias aos nossos anseios, contudo não deixa de ser aflitivo. Mas, veja, há lados bons nessa história. Se fôssemos mesmo senhores absolutos das rédeas dos nossos pensamentos, poderíamos facilmente cair em uma armadilha de procrastinação. A grande tentação seria: "Se posso mudar facilmente pensamentos (e comportamentos, em consequência) que não me agradam num piscar de olhos, talvez eu possa deixar isso para amanhã então, né?". Seria naturalmente ilógico, mas, ainda assim, tentador, em especial se fosse uma mudança com potencial de impacto para pessoas estimadas do nosso entorno ("Meu Deus! O que será que os outros vão pensar de mim?"). Talvez fizéssemos mau uso do tempo: colocando-o (com nossas desculpas) à frente da alternativa de transformação, e não o contrário. Idealmente, deveríamos impor primeiro uma escolha para depois aguardar o tempo encarregar-se dos ajustes subsequentes ao ato de decidir. Fossem fáceis e livres, tenderíamos talvez a desvalorizar, porém, como são difíceis e ocultas, tais mudanças mais profundas de pensamento (aquelas que verdadeiramente nos trazem o protagonismo de nossa própria vida) acabam por ganhar seu devido valor.

Outro lado bom dessa dicotomia mental reside no potencial "descompromisso" com nosso famoso "viver no piloto automático". Fôssemos as autoridades supremas de nosso próprio cérebro, tenderíamos a nos apegar intensamente ao nosso padrão inercial de vida: "Já que fui eu mesmo o completo responsável por todas as escolhas e decisões que me fazem ser quem sou atualmente, não posso agora simplesmente virar as costas para meu passado. Tenho que me manter fiel e leal a todo o caminho 'voluntariamente' feito até aqui!". Pronto, está criada a armadilha de rigidez, inflexibilidade e permanência de uma vida sofridamente imutável.

Não foram poucas as vezes em meu consultório em que, após longos mergulhos em biografias (com a eclosão de personagens, armaduras, máscaras e lâmpadas antes invisíveis), fui surpreendido com uma fatídica pergunta mais ou menos assim: "Mas, doutor, o que faço agora então com meus últimos quarenta anos de vida?". Quando nos percebemos prisioneiros dentro de nossa própria cabeça, sentimentos muito intensos e divergentes podem aflorar. Porém, sem essa percepção, a manutenção no calabouço é inevitável. Podemos, nesse ponto, enxergar a mesma coisa de ponta-cabeça (é mais benéfico, vai por mim): "Se sou produto de tudo, menos das minhas próprias escolhas, por que diabos vou continuar sendo teleguiado por uma trilha inautêntica de vida?". Perceba como isso pode ser libertador. Vou continuar a comprar brigas que não são minhas? Vou permanecer fiel a valores que nunca escolhi? Vou insistir em chegar "lá", sendo que o tal "lá" não fui eu que sonhei? Quanto tempo mais vou me limitar por medos alheios e inseguranças dos outros? Quanto tempo mais vou perseverar em atender às expectativas de todo mundo, menos as minhas? Não sei quanto a você, mas, quando um dia me percebi "impostor" dentro da minha própria vida, não aguentei teimar nem um segundo sequer sendo quem "fui programado para ser". Não precisei virar as costas à minha história pessoal (muito pelo contrário), mas sim colocá-la em seu devido lugar: como professora e não como soberana da minha própria vida. Deixei de ser escravo e passei a ser aluno do meu próprio passado.

Note que muito pior do que se descobrir refém de um "alienígena" comandando nossa mente, é ignorar a sua existência e poder. Iludir-se com uma sensação de livre-arbítrio absoluto, vivendo uma fantasia num castelo de cristal de autodeterminação é o que nos faz empurrar com a barriga as decisões íntimas relevantes e também promove nosso apego a uma vida falsificada, predestinada, rígida e com todas as impressões digitais imagináveis, menos as nossas próprias. Se existe uma questão em que a humildade é tremendamente crucial, trata-se justamente de admitir nossa restrição quanto ao poder que temos sobre nosso próprio cérebro. Somos muito menos livres do que supomos em relação ao controle dos nossos próprios pensamentos. Admitir humildemente essa limitação é o primeiro passo para superá-la.

Certo, supondo que já tenhamos superado as etapas todas de negação, raiva, barganha, depressão e estejamos na fase de aceitação do "luto de nós mesmos", o que fazer agora? Partindo da premissa de que há um alienígena travestido de rainha da Inglaterra governando nosso cérebro com poderes parlamentares administrativos amplos para escolher irrestritamente nossos próprios comportamentos, como vamos lidar com isso? Em primeiro lugar, seria interessante reparar que, apesar de comparativamente impotente em relação à força do subconsciente, a nossa consciência possui uma característica talvez algo subestimada: a capacidade de conhecer. Além de investigar todo o universo exterior, somos também dotados da faculdade de autoconhecimento. Quando começamos a jornada de nos desprender da autoidentificação restrita à figura da rainha da Inglaterra, temos a possibilidade de começar a perceber nossa própria vida sob outra perspectiva, mais ampla e menos bitolada pelos muros do castelo. Passar de monarca suntuosa passivamente impotente para majestade humilde ativamente observadora requer, claro, esforço e dedicação, mas, em geral, trata-se de um trabalho compensador, pois dignifica a posição da mentalidade racional-lógica dentro do nosso encéfalo. Essa propriedade de autoconsciência é tão milagrosa que podemos passar a nos enxergar não apenas como uma sofrida imperatriz (iludida com poderes que, na realidade, não detém) enclausurada e isolada em seu trono melancólico. Podemos, nessa jornada de amplificação de observação, passar a nos perceber também como sendo o Parlamento. A viagem pode prosseguir mais adiante para nos identificarmos com todo o Reino e seus respectivos súditos. E, por que não, poderíamos ampliar mais e mais, abarcando a imensidão e a totalidade das coisas... (mas daí já estaríamos talvez extrapolando os limites dessa obra). Voltando à vaca fria, usar o poder observador atento e verdadeiro que a mente consciente nos possibilita talvez seja o pontapé inicial rumo a uma repaginação adequadamente próspera para nossa vida.

    Essa viagem interna permite que exponhamos uma magnitude muito mais ampla de nós mesmos, bem maior do que apenas os frios aposentos de um palácio de ilusões. Quando *deixamos de ser apenas* a rainha da Inglaterra, também abdicamos de tentar empurrar goela abaixo dela um montão de funções que ela jamais será capaz de executar. Passamos a ganhar novos aliados, antes ocultos, que podem executar com maestria serviços que tentamos delegar para a coitada da Alteza Real. Assim, podemos começar a perceber que *também somos* o Parlamento. Como agora sabemos (ao menos em parte) como ele funciona, podemos induzi-lo, com as ferramentas adequadas, a parar de trabalhar para os condicionamentos e paradigmas que o formataram e começar a atender aos nossos próprios anseios. É claro que nem sempre é tão simples saber o que realmente queremos sem a influência daquele monte de tralhas que foram programadas no nosso inconsciente. Afinal, passamos tanto tempo com atitudes e modos de viver completamente encaixotados de fábrica que descobrir quem somos e o que queremos sem todo esse lixo nem sempre é fácil. Podemos, entretanto, começar de um jeito mais prático: limpando da prateleira o que definitivamente não queremos. Isso não é tão complicado, desde que paremos de nos enganar e tenhamos a necessária dose de honestidade e verdade íntima para um propósito tão fundamental como esse.

Uma grande barreira a ser superada é a da nossa comunicação interna. Façamos agora um intensivão num curso de idiomas cerebrais. Rainha e Parlamento decididamente não falam a mesma língua. Sem uma ponte de linguagem comum, ficaremos sem saber a que programas nosso subconsciente obedece e, além disso, jamais conseguiremos reprogramá-lo de forma a ter uma vida mais alinhada com nossos verdadeiros interesses. O jargão da rainha compreende: argumentos lógicos, razão cartesiana, linguagem verbal, matemática dedutiva, reflexão lenta e cognição racional. Já o dialeto do Parlamento abrange: emoções e sentimentos, sonhos e pesadelos, metáforas e símbolos, corpo e movimento, ícones e mitos, rituais e arte. A comunicação ideal entre esses dois mundos, aparentemente tão distintos, deveria ser de dupla via. Em uma das vias, trazendo informações pertinentes do inconsciente para que possamos entender quais ordens ele está seguindo, por que ele as segue, qual é a ideia subliminar por trás dos nossos hábitos, qual é o propósito oculto de nossos comportamentos e, a partir disso, poder discernir com mais clareza quais desses comandos valem realmente a pena ser mantidos e quais deveriam ser definitivamente descartados. Na outra via, levando novas informações, atualizações e ordens diferentes das que o Parlamento sempre costumou realizar para que possamos reprogramar nosso inconsciente com base em novos comportamentos, hábitos e motivações mais condizentes com nossas próprias vontades livres de antigos paradigmas e cabrestos mentais ultrapassados.

Durante a maior parte da minha vida, lutei terrivelmente contra um intenso problema de obesidade. Lancei mão de inúmeros recursos possíveis para tentar emagrecer, mas nenhum método tradicional mostrava resultados adequados de longo prazo no meu caso. O maior problema era que eu encarava o transtorno exclusivamente pela ótica da rainha: *para emagrecer, é necessário ingerir menos calorias do que as que são gastas.* Dã! Trata-se de uma lógica fria racional absolutamente correta, porém igualmente ineficaz. Por quê? Esquecemos de levar em conta o Parlamento. Apesar de certo, o pensamento cartesiano é incompleto! O cérebro não se guia só por ele, está lembrado? Buscar resolver uma dificuldade pessoal tentando aplicar apenas uma solução racional tende a falhar miseravelmente, por mais brilhante que seja o argumento. Seria como querer escurecer um cômodo iluminado por vinte velas apagando apenas uma. Extinguir uma vela está absolutamente correto e de acordo com o objetivo de escurecer o ambiente, porém a meta jamais será atingida se ignorarmos as outras dezenove chamas! E é precisamente isso que ocorre quando tentamos resolver qualquer problema pessoal profundo levando em conta apenas os 5% do pensamento racional e deixamos de lado os robustos 95% do inconsciente.

Vou ilustrar essa situação com um exemplo pessoal: minha obesidade. Meu cérebro não produzia minha compulsão alimentar porque achava isso bonito ou simplesmente lhe deu na telha. Existiam programas mentais ocultos profundamente sedimentados na minha cabeça que sustentavam isso. Mesmo sem perceber, eu nutria hábitos perfeitamente alinhados com paradigmas invisíveis para mim, a saber: a comida como moeda de troca sentimental e como fonte de carinho e afeto; uma culpa irracional e desmedida pelo desperdício e um medo absurdo da falta ou da escassez. Assim, o que eu enxergava externamente como "problema" pela estreita fechadura dos 5% da rainha, o meu cérebro via como "solução" sob a perspectiva dos 95% dominantes do Parlamento. Qual "solução" ele enxergava? Atender àqueles cabrestos mentais arraigados em partes profundas e antigas da minha cabeça, que estão diretamente ligados ao meu histórico pessoal de vida.

Explico: sou descendente de imigrantes europeus que viveram tempos difíceis de guerra, fome e privação muitas e muitas décadas antes de eu nascer (final do século XIX e começo do XX). Tais circunstâncias fizeram meus ancestrais terem verdadeiro pavor da escassez e completa ojeriza a qualquer tipo de desperdício. Desde meus bisavôs, de geração em geração, esses paradigmas mentais foram sendo transmitidos (inicialmente de forma explícita e depois de modo cada vez mais subliminar) até impregnar as entranhas viscerais do meu Parlamento. Some-se a isso eu ter crescido em uma família que tinha o alimento como centro do universo, onde as expressões de afeto eram substituídas por pastéis e as demonstrações de carinho eram permutadas por brigadeiros, e *voilà*: teremos uma programação bombástica do meu subconsciente para produzir comportamentos extremamente eficientes para ultimar uma terrível obesidade mórbida, da qual padeci por longos anos. Só consegui me curar da obesidade quando passei a adotar estratégias que contemplaram não apenas a racionalidade de ingerir menos calorias e gastar mais energia (a vela solitária da rainha), mas principalmente quando consegui desprogramar as leis ocultas que meu cérebro seguia (as outras dezenove velas do Parlamento). Eu vivia uma terrível falha interna de comunicação cerebral: de um lado havia a consciência lógica vislumbrando um problema sério de obesidade, mas de outro existia uma inconsciência instintiva leal a preceitos de crenças antigas e enraizadas que menosprezava a gordura, tomando-a como um simples efeito natural aceitável para a manutenção fiel aos hábitos condizentes com aquelas crenças. É como se a consciência, falando latim, mirasse para um problema "x", enquanto o subconsciente, falando grego, estivesse apenas preocupado em seguir as instruções "y". Argumentos lógicos e racionais não me fizeram curar a obesidade. Apenas quando a minha obsessão por comer foi combatida tendo por base a contextualização dela dentro dos meus paradigmas mentais invisíveis e valendo-me de meios com um "linguajar" adaptado ao subconsciente é que eu deixei de ser gordo. No fim das contas, o inconsciente usava meu próprio corpo como forma de vazar (comunicar) as ideias que ele tanto gostava de seguir.

Fazer a ponte entre a rainha e o Parlamento, entre o latim e o grego, entre o racional e o instintivo foi o que, de fato, permitiu-me superar um fardo (literalmente) tão pesado de carregar durante a maior parte dos meus anos. Para isso, utilizei um ritual simbólico (um jeito muito poderoso de acessar o inconsciente): desperdicei metade da comida do prato durante vários meses seguidos.

Uma pequena observação antes de você sair por aí jogando alimento fora: esse ritual serviu especificamente para mim, pois caiu como uma luva para antagonizar moldes mentais relacionados à minha história pessoal única. Assim, o que me foi útil não necessariamente servirá a todos. A questão aqui não é de técnica nem de forma, mas de conteúdo e de princípio. Escarafunchar nossas próprias crenças limitantes ocultas e transformá-las é um trabalho sob medida, não reprodutível, não mecanizável, altamente pessoal e único. Cada um deve construir seu próprio método. Não que isso dispense ajuda profissional adequada (que é sempre bem-vinda, diga-se de passagem), mas, ainda assim, requer uma adaptação total à realidade de cada pessoa. Não há panaceia milagrosa, o que existe é o milagre da autorreconstrução cerebral. Contemplar, ler e enxergar os sinais que nosso inconsciente nos transmite a todo instante, através de seus canais peculiares de comunicação, são passos fundamentais para qualquer tipo de desenvolvimento pessoal relevante que queiramos empreender. Sem isso, é como se assinássemos um contrato importantíssimo contendo cem laudas, mas nos preocupássemos em ler apenas as cinco mais relevantes ao nosso juízo. Pode ter certeza de que o chabu, lá adiante, vai sair das 95 que você ignorou na empolgação de assinar o contrato.

Suponhamos que você tenha um problema de compulsão por compras, um hábito desenfreado por consumismo, que frequentemente o deixa em sérias dificuldades de natureza financeira, familiar ou afetiva. Se procurássemos lidar com a questão só pela visão reducionista da consciência racional, poderíamos lançar mão de técnicas como construir (e usar) uma planilha orçamentária detalhada com entradas e saídas; eliminar todas as linhas de crédito facilmente disponíveis, tais como cheque especial, empréstimo pessoal, consignado, cartões, dentre outros, e passar a gastar apenas em dinheiro vivo; nunca parcelar nenhuma compra; nunca comprar nada sem antes consultar outra pessoa; nunca comprar nada no mesmo dia, apenas no dia seguinte; nunca comprar nada sem antes vender, jogar fora ou doar um item semelhante; sempre investigar antes o motivo da compra; e por aí vai. Essas (e muitas outras) podem ser ferramentas bastante adequadas para combatermos o impulso consumista, mas será que vão funcionar de fato? Minha impressão é que tais artifícios são tão eficazes quanto um esparadrapo para conter uma trinca de uma enorme represa. Estaríamos, de novo, somente dando atenção aos frágeis 5% da consciência racional. Queremos apenas estancar um comportamento gastador ou a intenção é transformar o sujeito comprador em alguém livre desta compulsão? Parece a mesma coisa, mas não é. No primeiro caso, queremos o milagre de livrar-nos de um defeito sem mudar profundamente quem somos. O hábito consumista só abandonará o indivíduo consumista no dia em que ele deixar de sê-lo. Não há como cortar um sem transformar o outro. Uma abordagem que realmente quisesse levar em consideração o conjunto todo do cérebro deveria iniciar com um questionamento mais intrínseco: "A que comandos o meu inconsciente atende que se manifestam com um comportamento gastador?", "Por que o Parlamento banca constantemente o hábito de comprar exageradamente?", "A que propósito simbólico isso está ligado?". Como você já percebeu pelo capítulo anterior, a busca por respostas deveria começar na base de construção do nosso pensar: a infância.

Será que seus pais lhe davam algum presentinho sempre que se sentiam meio culpados por algo? Será que sair para fazer compras era um dos poucos momentos de alegria da sua família? Será que você tinha um pai avaro ao extremo e comprar passou a ser seu contraponto de rebeldia? Será que sua mãe utilizava os gastos como arma de anteposição contra a agressividade do seu pai? Será que seus ancestrais sofreram grande privação material e o consumismo pode ser símbolo de "salvação em nome deles"? Eu poderia ficar aqui mais umas três páginas elencando possibilidades. Afinal, existem tantas opções distintas quanto indivíduos sofrendo de compulsão por comprar: cada cabeça, uma sentença. Procurar intimamente, através de autoconhecimento, os motivos submersos para a sua obsessão pessoal por gastar é o que vai começar a jogar luz para os poderosos 95% do Parlamento. Sem isso, seria como estudar para uma prova, depois de vinte aulas diferentes, mergulhando de cabeça em apenas uma dessas aulas. Você até poderia virar um exímio conhecedor daquele único tópico, mas certamente vai tomar bomba e repetir de ano ou pegar uma bela recuperação.

Não, nem o pensamento lógico, nem a rainha da Inglaterra, nem apagar uma única vela, nem botar um esparadrapo, nem ler só cinco laudas, nem falar latim, nem fazer dieta, nem estudar muito uma única aula, nem seguir uma planilha orçamentária vão resolver nada, sozinhos, a contento. Há que se contemplar todo um universo submerso e costumeiramente ignorado, com seus canais bastante específicos de comunicação, se você almeja mesmo uma evolução marcadamente positiva. Uma vez que tenhamos entendido a mensagem e conseguido interpretar o recado que o nosso inconsciente vive querendo nos passar (a primeira via da ponte de comunicação), passemos para o outro sentido do diálogo: como reprogramar o Parlamento, apagando comandos inúteis e implantando outros mais benéficos. Tentar "explicar" a ele o que queremos usando apenas a linguagem metódica, cartesiana, lógica consciente não costuma ser apropriado. O subconsciente é insensível a esse tipo de linguajar. Seria como tentar instruir indígenas primitivos (isolados da civilização) usando um bilhetinho escrito apenas com palavras em português. O pensamento inconsciente utiliza formas próprias de interlocução, como: sentimentos, emoções, corpo, rituais, imagens, símbolos, ícones, arquétipos e metáforas. Reprogramar o Parlamento é como tentar ensinar Mecânica Quântica ou Immanuel Kant a uma criança de seis anos. Se você tentar ensiná-la, da mesma forma que a um adulto, com argumentação racional seria até louvável, mas acredito que falharia por completo. Contudo, se você procurar explicar os mesmos conceitos utilizando uma linguagem figurativa, com parábolas, bonecos, desenhos, narrativas ou ilustrações, talvez suas chances aumentem sobremaneira em conseguir passar pelo menos o "grosso" primordial das ideias.

Voltando ao exemplo do problema com compras compulsivas, digamos que você tenha feito uma profunda autoanálise biográfica (sozinho ou com ajuda profissional) e chegado à conclusão de que a sua principal amarra pessoal subconsciente seja uma forte associação entre o ato de comprar com os únicos momentos de alegria que a sua família desfrutava durante a sua infância, os parcos períodos de trégua em meio à guerra afetiva do dia a dia, os escassos oásis de carinho em meio a um enorme deserto sentimental. O que fazer com essa informação? Apenas ter ciência racional do fato o libertará automaticamente? Baseado no que sabemos acerca da neurociência do subconsciente, eu diria que se trata de um passo necessário, mas insuficiente, tendo em vista que ele apenas mobiliza uma pequena parte pouco decisiva do cérebro. Além de buscar tratamentos psicológico e psiquiátrico (obviamente muito importantes nesses casos), você poderia tentar bolar para si mesmo um exercício mental com o intuito de desprogramar essa associação instintiva profundamente impressa na sua cabeça. Uma prática, dentre muitas outras possíveis, poderia ser de desenhar, numa grande folha de papel, um pequeno círculo representando a sua alegria, com um pequeno pacote de compras desenhado no seu interior e um enorme espaço em branco sobrando no resto da página. Toda a sua alegria resumida a um mísero saco de presentes, visual e explicitamente grafado na sua frente. Uma vez por dia, você poderia ir desenhando um círculo de alegria ligeiramente maior, colocando, a cada vez, alguma outra coisa que talvez também te dê prazer junto com o pequeno embrulho de compras: um cachorro, um sorvete, um livro, uma praia, um abraço etc. Com o passar de muitos dias, a esperança é a de que seu círculo de alegria tome praticamente toda a folha e muitos outros objetos, pessoas, lugares e atitudes dividam espaço com o pequeno núcleo de consumismo. A partir daí, você poderia, por exemplo, ter sempre à mão, antes de toda e qualquer nova compra, a primeira gravura (o pequeno círculo com a pequena sacolinha) e a última (o grande círculo com múltiplas opções) para ajudar visualmente a decidir antes de cada impulso.

ESFREGANDO A LÂMPADA

Um tempo desmedidamente longo se passou. Já quase não era mais possível para ele divisar seus idos tempos áureos de contentamento permanente. Poucas reminiscências restavam: eram como uns parcos vultos indefinidos que cruzavam muito esporadicamente sua cabeça. Mesmo com esforço para recordar, era muito difícil resgatar imagens já tão distantes, perdidas e longínquas. Agora, para ele, já não se podia distinguir espera de esperança, expectativa de possibilidade ou sonho de ilusão. Tudo parecia mais anestesiado, menos diverso, mais distante e opaco. Àquela altura, Abdul já não sabia se sobrevivia graças à sua própria esperança ou se, com efeito, era já um mero prisioneiro dela mesma. Perguntas como "quando sairia", "o que fazia ali" ou "por que ele", também já tinham se desmanchado há muito.

Foi nesse estado de eterna pausa e suspensão contínua que ele foi expelido para fora do seu claustro: alguém havia, enfim, encontrado sua lâmpada e a esfregado. Abdul espreguiçou-se e expandiu-se para fora ocupando o maior espaço possível de modo quase instantâneo. Ele mal teve tempo de notar que pairava por sobre mar aberto. Se, por um lado, a nova "liberdade" inaugurava um novo capítulo em sua vida; por outro, não se podia ignorar a sina que o acompanharia.

Volta e meia, percebemo-nos presos a comportamentos e sentimentos automáticos deflagrados por gatilhos específicos. Algo ou alguém esfrega nossa lâmpada e saímos desembestados a fazer o que o mundo espera de nós. E isso nem sempre é bom. Até gostamos de alguns de nossos hábitos, mas repudiamos fortemente outros. Durante a minha infância obesa, uma das principais ignições deflagradoras da minha voracidade por comer eram as propagandas a que eu assistia na televisão mostrando algum alimento apetitoso. Era líquido e certo: a cena de um maravilhoso prato fumegante era seguida por um assalto à despensa ou pelo pedido de algum quitute aos adultos à minha volta. A imagem da tela esfregava a minha garrafa, e eu saía como um gênio voraz a devorar guloseimas. As fagulhas que nos fazem deflagrar comportamentos ou sentimentos problemáticos devem ser relativizadas pelo que são: apenas gatilhos, e não a causa matriz. Tomar a centelha de ignição como o combustível pode nos confundir para o mais importante: a busca da raiz inconsciente. Fosse eu proibido de ver televisão na infância (faísca), é óbvio que eu não iria emagrecer (apagar o fogo), porque minha obesidade (chama) tinha uma finalidade oculta (combustível) para existir, conforme já expliquei. Se eu deixasse de ver propagandas, certamente encontraria outras fagulhas pelo caminho que deflagrariam minha compulsão por comer, mantendo-me gordo.

Em determinada ocasião, tive a oportunidade de atender uma paciente com o diagnóstico de nevralgia do trigêmeo, uma dor facial crônica excruciante em surtos que atinge um dos lados do rosto e está relacionada ao nervo trigêmeo (que tem a função de intermediar a sensibilidade da face). Ela me procurou já em situação de "último recurso", pois havia se submetido a praticamente todos os exames e tratamentos (inclusive cirúrgicos) médicos disponíveis para o tratamento da doença, mas continuava sofrendo com o problema. Como basicamente eu não tinha muito a oferecer em termos técnicos, procurei escutar com atenção a história pessoal daquela doente. O que descobri foi um aprendizado surpreendente, que me marcou bastante.

Quando criança, no sertão do Nordeste do Brasil, onde morava, ela se recorda de, em tenra idade, ter participado do velório de sua avó materna. Uma experiência extremamente sinistra e desagradável para ela: o corpo cadavérico de sua avó estava envolvido por uma espécie de mortalha com uma extensão de pano branco que se enrolava ao redor da cabeça, passando por baixo do queixo, subindo pela lateral do rosto, encobrindo orelhas e bochechas e estendendo-se até o topo da cabeça, deixando expostos apenas olhos, nariz e boca. Tratava-se de um procedimento comum no local e na época, com o intuito de ocluir a mandíbula para evitar a extrusão e o inchaço da língua do defunto para fora dos lábios. Ela se recorda da mãe bastante abalada durante o funeral, chorando muito. Mais adiante na infância, ela também rememora as várias ocasiões em que sua mãe padecia de dores nos dentes. Nessas situações, era comum a genitora enrolar um pano embebido em álcool em torno da cabeça e se deitar para buscar alívio. Tais cenas eram terríveis para a menina, que imediatamente associava a imagem da mãe deitada com um pano branco enrolado em volta da face com a ideia de morte, como a do velório da avó. Ela sempre tentava levantá-la desesperadamente, na esperança de que a mãe "não morresse". A neuralgia do trigêmeo começou no período em que a mãe, já fragilizada e em idade avançada, veio morar junto com a paciente. Os últimos anos de vida da mãe foram em sua casa, sob seus cuidados, época em que as dores lancinantes começaram e foram piorando cada vez mais, especialmente após o falecimento da mãe.

Suponho que a retomada de convivência com a mãe, com a respectiva erupção de memórias emocionais há muito reprimidas, possa ter tido uma contribuição preponderante no caso dela. Desvendar esse gatilho foi crucial para que pudéssemos mergulhar mais a fundo em quais lembranças afetivas da época de formação do cérebro dela eram, de fato, raízes importantes para contribuir com seu padecimento físico atual. Um capítulo novo e uma ampla gama de caminhos puderam ser, assim, abertos para criar opções de tratamentos mais eficazes que antes pareciam inexistentes. A importância dessas fagulhas (do "esfregar da lâmpada") que disparam nossos problemas está justamente em servir como brecha potencial de entrada para uma viagem interior mais funda. Mas jamais deveriam ser confundidas com a causa primordial, que é o fato de estarmos aprisionados dentro da garrafa.

Tenho um amigo que odeia a época do próprio aniversário, considerando-a como mau agouro. Ele diz que tudo de ruim na vida dele sempre acontece nesse período, o tal "inferno astral": acidentes, brigas, doenças e perdas abundam, segundo sua concepção. Por ter nascido próximo da época do Natal, ele refere certo ressentimento por não conseguir ter festas de aniversário com alta adesão de convidados. Na época de colégio, inclusive, tentou promover uma festinha em sua casa, à qual simplesmente nenhum amiguinho da escola compareceu. Foi uma grande decepção. Você deve conhecer pessoas em circunstâncias parecidas. Uma vez uma paciente me trouxe em consulta uma planilha com anotações de todo o seu histórico médico dos últimos anos. Estava tudo tabelado por anos (nas linhas) e meses (nas colunas) e cada célula trazia, além dos sintomas, também uma anotação de algum marco pessoal importante, tais como recolocação profissional, casamento, nascimento da filha, viagens, mudança de casa etc., e assim ficou evidente como as crises relacionadas ao seu problema de saúde invariavelmente ocorriam sempre no mesmo mês de setembro de cada ano.

Esse efeito sazonal de datas, eventos, períodos e feriados também carrega certo potencial de "esfregar lâmpadas" e servir de estopim para várias mazelas em nossa vida. Mas, de novo, a sua utilidade está em servir de porta de acesso para regiões mais antigas e obscuras do nosso cérebro e não para ser confundido como agente causador. Se aniversário e o mês de setembro forem tomados como geradores do sofrimento, pode-se facilmente cair numa situação de fatalismo inevitável. Resignar-se com esse efeito de sazonalidade implica abrir mão de utilizá-lo como oportunidade de investigação íntima mais aprimorada. Porém, encontrar um bode expiatório não resolve a questão, e inclusive pode terceirizar a ilusão de origem para fora de nós mesmos.

Não é incomum que eu atenda pessoas que começam a apresentar sintomas e doenças logo na sequência de um evento positivo em suas vidas: uma dor de cabeça que começa após uma promoção na carreira profissional, uma hérnia de disco que aparece depois de uma mudança para uma residência melhor e mais próxima do trabalho ou uma falha de memória que se inicia em seguida à cerimônia de casamento. Apelidei isso de "queda de ilusões". É como se fosse um desmoronamento emocional que surge na sequência de algum objetivo considerado muito importante, como uma prostração letárgica após um clímax ansiosamente antecipado. Ficamos um tempão construindo algo que, quando pronto, entrega muito menos que o "prometido". Nossa lâmpada mágica foi esfregada lá atrás para que realizássemos determinado pedido. Quando ele é entregue, começamos a nos amedrontar com o próximo que virá. Imaginamos (inconscientemente) que, se deu no que deu com o último, o que será do próximo? Começamos a implodir com sensações de medo, culpa e decepção e, favas contadas, adoecemos. O corpo segue o que habita dentro de nossa cabeça. Antecipamos com receio qual poderá ser o próximo gatilho, o esfregar da garrafa mágica que trará a próxima desilusão.

Houve um tempo em que eu nutria uma compulsão por viajar. Ainda aprecio muito fazer turismo, mas o que eu praticava antes era bem mais uma fuga da minha rotina de vida emocionalmente miserável do que propriamente o gosto pelo lazer em si. Servia como uma válvula de escape para eu não mudar. Intercalava viagens magníficas com um dia a dia medíocre e pouco satisfatório (uma verdade dolorosa que eu me recusava a admitir para mim mesmo à época). A cada término de passeio, eu já programava o próximo. Ficar mais de três meses sem viajar já me dava "faniquito", então aprontava a seguinte, e isso já me ajudava a anestesiar o intervalo de martírio entre uma e outra. Era como se eu forçasse a minha volta ao abrigo confortável para dentro da lâmpada mágica durante as viagens, fugindo tanto quanto possível de estar fora dela (a rotina insuportável que eu havia me imposto), tendo que atender a pedidos fantasiosos daquilo que eu imaginava que o mundo esperava de mim. A cada saída da minha garrafa (para a vidinha chata), eu já tentava programar meu retorno ao casulo (viajar). Mal sabia eu que o problema não era ficar entrando e saindo da lâmpada, mas sim ser prisioneiro de uma.

Uma vez, atendi um homem que se incomodava há muitos anos por um problema que começou por ocasião de um parto complicado de sua esposa. Ela apresentou grave hemorragia uterina e ficou entre a vida e a morte na UTI. Ele foi obrigado a gastar o que tinha e o que não tinha para bancar o melhor tratamento hospitalar possível para ela. Na verdade, não media qualquer esforço para prover o melhor estilo de vida para ela e para os filhos. Enfim, esposa e filha foram salvas e tudo correu bem, exceto pelo problema de saúde que passou a incomodá-lo persistentemente ao longo dos quarenta anos subsequentes. A quase morte da esposa foi seu esfregar de lâmpada, um potente gatilho que acionou circuitos cerebrais negativos antigos e profundos. Quando eu o conheci, ele já estava aposentado após uma longa trajetória profissional bem-sucedida construída por mérito e esforço próprios. Era um ícone estimadíssimo no seio de sua família: empresário reconhecido, pai exemplar e marido querido. Por quaisquer fontes, a opinião a seu respeito era quase unânime: um cara honesto, querido e honrado. Seu pai era alcoólatra, batia na mãe, nele e nos irmãos com frequência e raramente conseguia prover sustento financeiro adequado à família. Segundo suas palavras, seu pai era muito machista e sua mãe sofria demais nas mãos dele, pagando inclusive com a própria vida. Sem nunca ter sido autorizada pelo pai a frequentar ginecologistas para exames preventivos, ela morreu jovem, vítima de um câncer de colo de útero avançado, algo que poderia ter sido precocemente detectado e tratado com sucesso, não fosse ela proibida pelo marido de ter suas partes íntimas examinadas por médicos.

Com esse cenário de base, fica mais nítido perceber qual é a lâmpada mágica em que ele se enfiara: ser o extremo oposto do pai e estruturar toda a própria vida para ser o redentor da figura paterna malvista. Em algum lugar muito importante (e oculto) do seu cérebro, isso deve ter ficado rigorosamente blindado: ser o antagonista do pai para "salvar" a mãe. Mas, apesar de ele ter de fato construído uma trajetória admirável em todos os aspectos (profissional, ético, familiar, social etc.), o motor de impulso para isso partiu de premissas questionáveis. Não há obviamente nenhum ponto negativo em ter uma vida praticamente à prova de críticas externas. O problema, no caso dele, eram as raízes invisíveis que o compeliam: vingar-se do pai e ser o "herói protetor" da mãe. É como construir um lindo castelo magnífico sobre um lodo lamacento. Sua garrafa mágica foi acintosamente esfregada e posta em xeque quando do episódio a sua esposa (que provavelmente passou a fazer as vezes de sua finada mãe no inconsciente dele): não conseguir salvar a esposa representaria praticamente o fracasso de todo o "plano" elaborado inconscientemente durante a formação cerebral na infância. Não há absolutamente nada de errado em pautar a vida em preceitos nobres e éticos. O problema é não ter ciência do motor que pode ocultamente ser sua fonte. Ter uma vida moralmente inquestionável é ótimo, mas ter um propulsor invisível "torpe" pode não ser tão bom. O castelo magnífico não precisa ser implodido, mas talvez possa ser transferido para outra fundação, para um solo escolhido livremente por conta própria, sem nenhum tipo de compulsão de antagonismo nem rompantes de heroísmo imaginário. Um dos mecanismos que mais me agradam para que isso seja possível é o perdão, de que falarei mais adiante.

Um dia, adentrou meu consultório um paciente do sexo masculino com 40 e poucos anos. Josias procurou meu atendimento acerca da afecção que o acometia: epilepsia. Sua primeira convulsão tinha ocorrido aos 30 e poucos anos. Durante esse intervalo de tempo, ele realizara inúmeros exames clínicos investigativos. Todos resultaram normais. Ele utilizava medicação anticonvulsiva com relativo controle do problema. Durante a consulta, fui notando que sua principal angústia era não saber a causa da doença. O que o incomodava, de fato, era desconhecer o que o levava a ter epilepsia. E, do outro lado da mesa, até aquele momento, eu também não fazia a menor ideia de qual poderia ser a raiz do problema dele. Não, nem a anamnese (termo médico para a "conversa técnica" com o paciente), nem o exame neurológico, nem o Isda (sigla médica que se refere ao interrogatório sobre diversas partes do corpo), nem os antecedentes familiares, nem a infinidade de exames complementares me forneciam qualquer pista para elucidar o mistério. Pois bem, lá estava eu diante de um paciente que parecia não estar tão preocupado em relação ao remédio e também não queria realizar outros exames. Desejava "apenas" e tão somente esclarecer a causa do problema. Mas eu não tinha nenhuma resposta satisfatória até então.

Numa tentativa inicial de lidar com a situação, resolvi rebater a pergunta de forma reflexa: "O que *você* acha que pode ser o motivo da sua epilepsia?". Ao que ele respondeu sugerindo a possibilidade de estar relacionado a estresse e fatores emocionais. Nenhum de nós, porém, estava muito convencido com uma explicação tão genérica. Não que as questões de natureza psicossomática não fossem a base do problema. Todavia, o que imagino que o angustiava eram quais questões psíquicas específicas poderiam contribuir no caso dele. A essa altura da consulta, eu poderia simplesmente ter retirado o time de campo, indicado algum seguimento psiquiátrico ou psicoterápico e dado o assunto (ao menos do meu lado da mesa) como encerrado. Decidi, contudo, dar sequência na conversa e tentar explorar algum aspecto que talvez não estivesse tão evidente. Perguntei, então, o que acontecera na vida dele quando do início do problema.

Ele relatou que fora logo após ganhar uma ação trabalhista contra a empresa em que trabalhava na época. Indaguei, em seguida, o que houve quando da ocorrência da sua última crise convulsiva: acontecera recentemente, logo após a assinatura para compra e financiamento da casa própria. Nesse ponto, fiz uma rápida análise mental não verbalizada: dois eventos significativos importantes, um relacionado ao trabalho e outro à família, ambos com grande carga emocional simbólica. No entanto, eram dois eventos, a rigor, positivos, o que me deixou intrigado. Prossegui a conversa aproveitando esses dois ganchos (família e trabalho). Questionei, assim, a relação do paciente com sua família: uma ótima convivência com a esposa e os filhos. Josias enfatizava uma grande dedicação a eles; parecia haver, porém, certo afastamento dele em relação a amigos e parentes mais distantes. Perguntei sobre o trabalho dele na empresa durante o período precedente ao quadro clínico, ao que respondeu dizendo que, logo nos primeiros meses de trabalho naquela firma, começou a perceber irregularidades praticadas pelos seus chefes de setor que o prejudicavam diretamente, envolvendo desvios em relação a vale-transporte e vale-alimentação. Josias passou então a interpelar colegas de área, que confirmaram suas suspeitas, porém também o advertiram a não interferir naquilo, sob risco de represálias. Ele tomou a decisão de denunciar o problema junto ao RH da empresa. A questão foi sanada, de fato, contudo, conforme o alerta de seus colegas, ele passou a ser assediado moralmente pelos seus chefes de setor: cobrado em demasia, escolhido para as piores tarefas e advertido publicamente de forma rude. Após passar pelo período de estabilidade empregatícia, depois de retornar de uma licença médica subsequente a um acidente, ele foi demitido da empresa. Decidiu, então, mover um processo judicial trabalhista contra a corporação.

Intuindo que talvez apenas tais eventos não fossem suficientes para explicar de maneira mais abrangente as "questões emocionais", resolvi perguntar a respeito da infância dele. Seu pai era alcoólatra e extremamente agressivo. Agredia verbal e fisicamente a mãe. Josias recordava-se dela sendo arrastada pela calçada e espancada pelo pai no caminho entre a igreja e a casa deles. Relembrava também outra cena do pai dando um tapa no seu rosto aos 7 anos, quando ele resolveu tentar esconder uma faca do pai (numa tentativa de ajudar a mãe). Lembrava-se, também, de seu pai tentando assassinar a mãe com uma arma de fogo logo após a separação deles e sendo impedido por ele e pelo irmão quando ambos tinham entre 14 e 15 anos. Nesse momento do atendimento, tive uma sensação de peças se encaixando num grande quebra-cabeça. Daí, pedi permissão ao paciente para que eu pudesse dar a minha leitura acerca do que me pareceu significativo ser correlacionado. Discorri dizendo que a situação ocorrida na empresa envolvida em seu processo trabalhista talvez fosse importante não só pelos eventos em si, senão também pelo simbolismo envolvido: enfrentar os chefes para resguardar seus direitos talvez tenha sido um resgate inconsciente da possibilidade de "enfrentar o pai" (projetado nas figuras dos chefes) para "defender a mãe" (projetada na figura dos direitos trabalhistas) dos maus-tratos. Acrescentei que o seu empenho em se dedicar à esposa e aos filhos (e que melhor símbolo que a compra da casa própria para representar isso?) e o colateral afastamento de outros círculos sociais talvez fossem um contraponto como sentido oposto ao que foi a sua família da infância. Ao final das minhas "elucubrações", Josias estava nitidamente emocionado, chorando. Ele agradeceu a oportunidade de expor aspectos há muito guardados no seu íntimo e conseguir ver sentido em aspectos aparentemente não interligados. Eu lhe agradeci por depositar confiança em compartilhar sua história pessoal a mim.

A história de Josias parece guardar várias semelhanças com a anterior. Duas lâmpadas forjadas por sobre o antagonismo ao pai e a proteção à mãe, cada qual com seus respectivos gatilhos posteriores. Na primeira, a garrafa mágica foi esfregada pelas complicações de parto da esposa. No caso de Josias, ela foi acionada no litígio trabalhista e também no acerto do sonho da casa própria. Quando não tomamos os fatos circunstanciais (o esfregar da lâmpada) como a causa essencial (a lâmpada em si), procurando buscar mais a fundo as raízes primeiras de nossas angústias e sofrimentos intimamente armazenados, novas portas, onde antes aparentemente nada havia, podem ser atravessadas para trilhar caminhos potencialmente mais livres, prósperos e felizes.

Não existe estresse pairando no ar esperando para atacar alguém indefeso. O que há é um cérebro programado negativamente sujeito a estressar-se com gatilhos variados. Mirar nas fagulhas que aborrecem é perder-se em ilusões e abster-se da chance real de progresso, que é a transformação da própria mente. Não existe esfregar de lâmpada mágica sem antes haver um gênio aprisionado dentro dela. Cada um de nós tem as faíscas deflagradoras de infortúnios para chamar de nossas. Mas elas são as chaves, e não a fechadura. Fuja das chaves ou aniquile-as, e você estará condenado a manter-se aprisionado em sua própria penitenciária mental. Utilizá-las para abrir as fechaduras dos cadeados de pensamento é, sem dúvida, o modo mais inteligente de lidar com nossas mazelas. Não confundir a mão que aciona com a própria garrafa mágica é um passo crucial de libertação. Enquanto houver um gênio trancafiado no interior do recipiente, existirão mãos a esfregar. Enquanto houver um cérebro sensível ao negativo, existirão gatilhos prontos a deflagrar estresse.

Foi a partir da tradução para o francês do clássico *As mil e uma noites*, feita por Antoine Galland no século XVIII, que as histórias de gênios ganharam popularidade pelo mundo ocidental. A origem desse clássico é bastante controvertida e discutida entre os estudiosos do assunto, podendo remontar ao século IX ou mesmo antes. Não existe um autor único para a obra, que é fruto de inúmeras mãos ao longo de séculos. Talvez esteja exatamente aí um dos ingredientes de seu sucesso transcontinental e transtemporal: o amálgama de muitas mentes procurando dar vida a narrativas fantásticas, que ganharam o inconsciente coletivo. Dentre as histórias mais famosas contidas no compêndio, temos: "Simbad, o navegante", "Aladim e a lâmpada mágica" e "Ali Babá e os quarenta ladrões".

A espinha dorsal da obra são as histórias que Xerazade (ou Sherazade ou Cherazade, ao gosto do escriba) conta ao seu marido, o rei, e à irmã por 1.001 noites consecutivas, com o intuito de salvar a própria vida. A primeira esposa desse rei o havia traído. Encolerizado, ele decidiu se vingar, matando a esposa e o amante. Além disso, num plano diabólico para nunca mais voltar a ser traído, resolveu matar a nova esposa no dia subsequente à noite de núpcias, para não haver risco de que a nova mulher o desapontasse. Assim ele o fez, noite após noite, casando-se durante o dia com uma nova esposa e sacrificando-a no dia seguinte. Seu grão-vizir era obrigado a arrumar uma noiva por dia. Após vários dias, muitos casamentos e sacrifícios, a própria filha do vizir, Xerazade, pediu ao pai que fosse desposada pelo rei. Após vencer a resistência inicial do pai, convencendo-o de que tinha uma estratégia infalível, ela casou-se com o rei.

Sua tática era a seguinte: contar uma história durante toda a noite e interrompê-la bruscamente com a alvorada, sob a promessa de continuidade na noite seguinte caso tivesse a vida poupada pelo marido. Bem-sucedida em seu intento, ela manteve acesa a curiosidade do rei pela continuidade interminável de narrativas e histórias que compunham seu infindável repertório. *As mil e uma noites* são uma estupenda ode ao gênio humano por contação de causos: um sem-número de histórias, uma dentro da outra, em ramificações diversas, que capturam inequivocamente a atenção do leitor. Figuras como Maomé, Davi, Alexandre Magno, Jesus, Moisés e Aristóteles aparecem de permeio ao enredo da trama da obra.

Interessante notar que a maioria das primeiras narrativas (cerca de duzentas noites iniciais talvez) resvala direta ou indiretamente em temas como lealdade, traição, justiça, fidelidade, disfarces, armadilhas e vingança. Propositalmente ou não, tem-se a impressão de que servem como isca para capturar a simpatia e a solidariedade do atento rei, ouvinte e potencial carrasco. De algum modo, o pano de fundo dos contos parece ir paulatinamente mudando para outra categoria de conteúdo subliminar, tais como redenção, arrependimento, superação, benevolência e perdão. Assim, de histórias sensíveis aos interesses do rei, aos poucos caminha-se para outras mais alinhadas às intenções da própria Xerazade: de salvar a si e, em consequência, a outras mulheres do reino.

Os *jinn* surgem como personagens em muitas das histórias, nos mais variados tipos, tamanhos, modelos e características: desde versões femininas, passando por tipos sanguinários, até sob a forma de animais. O primeiro gênio a aparecer no livro mantém uma esposa humana, raptada no dia do seu casamento, acorrentada dentro de um baú no fundo do mar, como sua concubina. Tal passagem acontece antes mesmo do início das narrativas noturnas de Xerazade. Após notar que mesmo esse poderoso gênio era traído foi que o rei bolou o plano de assassinar cada noiva após a noite de núpcias, diariamente. A primeira história narrada por Xerazade, "O mercador e o gênio", também envolve um *jinn*. É de se notar que, apesar de compor muitos dos contos, nenhum gênio é protagonista das histórias: sempre existe um humano no papel de herói. Os *jinn* aparecem invariavelmente na posição de coadjuvante, antagonista ou mesmo em papéis secundários. Com frequência, o gênio serve ou de instrumento para ajudar alguém a atingir algum objetivo ou constitui-se em um obstáculo para a consecução do mesmo.

Nem todos os gênios libertados de seu claustro agem com benevolência. Em uma das narrativas, "O pescador e o gênio", o *jinn* revolta-se contra quem o solta do vaso mágico, um miserável pescador. Enfurecido por não ter sido libertado antes, o gênio decide matar o coitado, que consegue safar-se apenas por apelar à vaidade do poderoso *jinn*, desafiando-o a demonstrar se teria a capacidade de se encolher novamente para um tamanho minúsculo como o do interior do vaso, assim conseguindo prendê-lo mais uma vez.

É, não obstante, a história de "Aladim e a lâmpada mágica" que mais simbolicamente impregnou o imaginário coletivo em relação à temática do gênio que atende a pedidos, ao menos no mundo ocidental. Voltaremos a ela adiante.

O cérebro não foi feito para nos fazer felizes. Vou repetir, porque isso é fundamental. O cérebro não é um instrumento com um programa inato para torná-lo feliz. A função primordial dele é fazê-lo sobreviver. Fruto de milhões e milhões de anos de evolução desde nossos ancestrais mamíferos primitivos mais remotos, o encéfalo conservou uma prioridade máxima acima de qualquer outra ao longo dessa espetacular jornada: garantir a sobrevivência física do corpo ao qual pertence. Nada é mais radicalmente importante para ele do que sobreviver. Isso é uma informação crucial de entender. O seu cérebro não foi programado para fazê-lo feliz. Ele foi programado, antes de tudo, para fazer você sobreviver. Deixado no modo automático, ele sempre tentará dar uma resposta de sobrevivência (sob a forma de luta ou fuga) a qualquer questão que apareça. Trata-se do modo *default* essencial do cérebro. Nossos bilhões de neurônios são fruto de eras de pressão evolucionária por recursos alimentares escassos, disputas por acasalamento, guerras por territórios e fugas de predadores.

A construção da civilização global em curso é, acima de tudo, a forma que encontramos para tentar solucionar nossos problemas relacionados a: comida, sexo, abrigo e segurança. No decorrer de eras e gerações, nosso cérebro foi desenvolvido para aguentar períodos de fome, seca, privações e guerras. Mas o mundo contemporâneo é bastante diferente daquele que nos modelou. Há estatísticas que dão conta, por exemplo, de ampla disponibilidade de alimentos (talvez mal distribuídos e desperdiçados por motivos diversos), o que seria suficiente para prover, com folga, toda a população humana atual. Contudo, estamos muito mais bem adaptados a ambientes de privação e de falta do que aos de abundância e disponibilidade. Carregamos uma ampla herança e "memória" de milênios sobrevivendo a ambientes hostis e escassos em recursos. Atualmente já existem mais obesos do que famintos no mundo, segundo dados da Organização das Nações Unidas (ONU). Vivemos a era do descompasso entre como nosso corpo (e nosso cérebro) foi "projetado", de um lado, e o relativo conforto criado pela civilização humana em seu atual estágio, de outro. Fomos adaptados para acumular, acumular e acumular, já que sempre foi tão difícil conseguir recursos físicos. Não estamos preparados para recusar e dizer *não*. Assim, inchamos nosso corpo com milhões de células adiposas (de gordura, no jargão técnico médico) para estocar calorias, pois nos preparamos para a falta, e não para a abundância. E não é apenas de comida desnecessária que nos locupletamos em face do descompasso "cérebro sobrevivente *versus* civilização".

Também abarrotamos nossas casas de objetos completamente supérfluos e inúteis. Já se tornou um problema psiquiátrico contemporâneo de saúde pública a figura dos acumuladores: pessoas que estocam as mais diversas e inúteis tralhas, pois consideram que um dia elas podem vir a ser absolutamente necessárias, dispondo de oito liquidificadores domésticos (caso quatro quebrem e três sejam furtados simultaneamente, ainda restará um). Na mesma linha, acumulamos freneticamente o máximo de patrimônio e de recursos financeiros sem parar, escravos da mesma lógica cerebral primitiva da escassez iminente e do medo da próxima tragédia, da iminente falência na próxima semana.

Se antes fugíamos de ser devorados por leões nas savanas ou por lobos nas florestas, hoje em dia, por não existir mais nenhum predador natural da espécie humana, substituímos antigos inimigos naturais por predadores artificiais contemporâneos. Como nosso cérebro é essencialmente o mesmo de milhares de anos atrás, ele ainda tende a nos manter no papel de presas. Assim, trocamos imaginariamente os antigos leões pelas figuras de nossos patrões ou desafetos. Substituímos fantasiosamente os antigos lobos pelas figuras dos nossos adversários ou oponentes políticos. Essa lógica de operação cerebral, por mais útil que tenha sido para sobreviver até aqui, nunca nos será adequada para ser felizes de fato.

Observe que viver não é o mesmo que sobreviver. Viver bem vai muito além de meramente sobreviver. Para uma vida plenamente feliz, é muito provável que deliberadamente precisemos nos deslocar dessa mentalidade cerebral ancestral. É fato que possivelmente nunca consigamos nos desligar completamente do modo sobrevivência do cérebro (e isso nem seria desejável). Mas é imperativo que, se quisermos ser verdadeiramente felizes, saibamos como não ser meros escravos dessa lógica cerebral. O modo sobrevivência sempre estará lá conosco e será acionado quando necessário. É como andar de bicicleta. Todavia, vale a pena ressaltar que o "quando necessário" é atualmente a exceção, e não a regra em nossa vida. Quantas vezes você de fato correu o risco de morrer de fome (realmente e não apenas metaforicamente, como costumamos empregar tal expressão) até hoje? Quantas vezes, de verdade, esteve em risco iminente de morte por um ataque externo? Quantas vezes não teve um abrigo adequado para dormir? Note que, por mais azarado que você seja, essas situações extremas tendem a ser mais exceção do que regra. Ainda assim, deixamos nosso cérebro no modo "escassez-tragédia" ligado no automático o tempo todo, mesmo sem estarmos sujeitos a essas adversidades de um jeito corriqueiro. Temos aqui então um contrassenso que nos prejudica. Porém, é possível treinar nossa mente para evitar que o modo sobrevivência nos subjugue sistematicamente e nos impeça de viver com mais felicidade e liberdade. Há um enorme potencial de evolução pessoal, se passarmos a explorar o que há além da restrita operação encefálica de simples sobrevivência.

O cérebro utiliza uma cascata de reações eletroquímicas produtoras de emoções negativas com o intuito de obter duas respostas básicas: lutar ou fugir. Culpa, raiva, medo, tristeza, frustração, ciúmes, aversão e outros sentimentos negativos derivam basicamente destas duas respostas-padrão: luta (ataque) ou fuga (defesa). Afinal, são notadamente elas que garantem a nossa sobrevivência física num "mundo cruel contra os outros". A mobilização de milhões e milhões de neurônios e sinapses, com a respectiva enxurrada de impulsos elétricos, hormônios, neurotransmissores e peptídeos para sustentar mecanismos de ataque e de defesa produz secundariamente emoções e sentimentos ruins.

Para efeito do cérebro, pouco importa "quem tem razão", "quem começou" ou as justificativas para a deflagração de circuitos neurais programados negativamente. O efeito de mal-estar será o mesmo. Precisamos nos apegar sempre e intensamente a esse modo de operação mental? A resposta é *não*. E quanto a você? De que ou de quem se defende? O que ou quem merece ser atacado? Já pensou a respeito?

Quanto mais massa encefálica estiver dedicada a produzir reações instintivas de lutar ou fugir (leia-se atacar ou defender), menos espaço e energia sobrarão para conexões cerebrais benignas. Não há como criar um caminho neural positivo sem que antes um negativo deixe de existir. Esqueça o mito de que não usamos 100% da nossa cabeça. Isso é balela. A natureza não desperdiça recursos: todo o nosso encéfalo está em operação neste momento. A principal questão é a que finalidade ele está voltado. Você tem controle sobre o seu cérebro ou, no fim das contas, é ele quem te controla?

Partindo da premissa de que os caminhos sinápticos geradores de emoções e sentimentos ruins estão associados, grosso modo, a essas duas finalidades de atacar ou defender, temos que considerar com seriedade que o caminho da nossa felicidade deve necessariamente passar pela "purificação" dessa circuitaria dedicada ao negativo. Para se ter uma ideia de quão sério é isso, façamos um pequeno exercício mental: vamos, em primeiro lugar, extremar a ideia de ataque. Aonde poderíamos chegar? Homicídio. Mas note que, para cada assassinato, existem talvez mil agressões físicas. Para cada briga, há mil bate-bocas. Para cada gritaria, temos mil fofocas. E, para cada malícia verbal, mil pessoas estão simplesmente pensando mal de alguém.

Chegamos ao cerne da questão. Não existe homicídio que "caia do céu". Ele foi gestado por um enorme ambiente social em que cada participante dá sua parcela de contribuição para que a ideia de atacar (iniciada como uma singela resposta instintiva cerebral de "luta") vá sendo exponencialmente multiplicada até que os assassinatos pipoquem aqui e acolá. E, convenhamos, disso para chacinas, guerras e genocídios é apenas um pequenino passo. Todo homicídio começa com um pensamento e, para efeito do cérebro, apenas pensar mal de alguém é praticamente o mesmo que matar essa pessoa. Os mesmos circuitos cerebrais de base (que se iluminam e ficam coloridos em exames de ressonância magnética funcional) são acionados quando o tema "luta" está em pauta, seja um ataque mental, verbal ou físico. Costumamos enxergar diferenças grandes entre esses atos. Tanto assim que temos categorias completamente distintas de julgamento e punição para eles. Nossas leis e nossos sistemas judiciário e policial refletem essa forma hierarquizada de perceber o tema de "luta" (ataque): um assassino é severamente punido, mas a fofoca é uma prática corriqueira bastante comum e aceitável. Indignamo-nos com o extremo do ataque, mas não com sua presença sutil e insidiosa dentro de nós mesmos. Mas o que costumamos perceber como coisas distintas socialmente são o mesmo para o encéfalo. O *dégradé* com que distinguimos os atos (e pensamentos) de ataque não apresenta correspondência nos circuitos cerebrais: para efeito dos neurônios, a finalidade básica é a mesma, mudando talvez apenas a intensidade do sinal, mas não a natureza do tema. Não existe uma área cerebral para o assassinato, outra para a agressão física, outra para a maledicência e outra para o pensar mal de alguém: há apenas redes de conexão neurossinápticas que são mobilizadas para o tema atacar (ou lutar).

Entender a nocividade e o dano que a ideia subjacente de ataque tem, em todos os seus graus, é relativamente simples. Temos certa tendência a perceber de modo mais evidente quão prejudicial ele é. Mas talvez isso não seja tão claro de notar em relação ao seu "gêmeo-siamês": a defesa (ou fuga, como queira). Vamos agora, então, extremar esse outro lado, tomando um exemplo radical desse polo: suicídio. Um ato limite que poderia ser usado contingencialmente para simbolizar o epítome de fugir ou defender-se. Assim como o homicídio, o suicídio não "aparece do além". Para cada suicídio, talvez existam mil automutilações físicas. E, quando me refiro a isso, pretendo incluir todas as suas formas: desde as mais deliberadas, como cortar-se com facas ou arranhar-se, até as mais sutis ou inconscientes, como doenças físicas (ou "caminhos corporais" para vazar o tema "defesa" que o cérebro utiliza) com forte componente psicossomático. Para cada automutilação, *lato sensu*, há mil pessoas se recriminando e se censurando verbalmente: "sou desastrado", "sou inútil", "sou azarado", "não consigo", "não posso", "ninguém me entende" etc. Para cada autoagressão verbal, mil pessoas estão simplesmente tendo pensamentos de desconfiança, reserva e afastamento em relação a outro ser humano. Vemos um suicídio e ficamos estupefatos, mas não nos incomodamos na mesma magnitude com nossa própria desconfiança em relação aos outros. Assim como no caso do ataque, o cérebro não diferencia internamente esses diversos "degraus" de defesa que separamos em nível de compreensão social externa. Não existe uma área encefálica para o suicídio, outra para automutilação, outra para reclamar de si mesmo e outra para pensar-se afastado de outra pessoa: há apenas redes neuronais (milhões delas, diga-se de passagem) que são recrutadas para servir ao propósito de defender-se (ou fugir). Talvez existam variações de intensidade, mas a natureza do tema é a mesma e mobiliza os mesmos centros encefálicos antigos e profundos na nossa cabeça.

Defender-se pode ser tão maligno quanto atacar, ao menos sob o ponto de vista neurocientífico. Não se trata de escolher um lado (ser vítima ou vilão), mas de desapegar-se desse mecanismo instintivo de sobrevivência. Repito que sobreviver não é o mesmo que viver bem. Se seu objetivo é sobreviver, continue escolhendo seu lado de predileção, mas se sua intenção é ser feliz, há que se "desescolher" os dois lados (não lutar nem fugir, não atacar nem se defender). Note que, sob o ponto de vista filosófico, é impossível existir ataque sem defesa e vice-versa: são faces "neurotóxicas" de uma mesma moeda. Só podemos lançar mão de uma escolha dessa envergadura a partir do momento em que nos tornamos conscientes de que temos tal opção. Caso contrário, como vimos no capítulo anterior, continuaremos a viver comandados exclusivamente por essa operação mental subconsciente, de forma automática e reflexa, e a inventar mil desculpas esfarrapadas para explicar que "esse é o meu jeito mesmo". Paz não é apenas o oposto da guerra, é o que existe além do ataque e também da defesa. Não pode haver paz coletiva sem antes existir um desapego individual ao sistema de luta e fuga. Paz interior significa justamente deixar de ser escravo involuntário do instinto ancestral de lutar e fugir (atacar e defender) que veio programado de fábrica no nosso cérebro.

O AMO

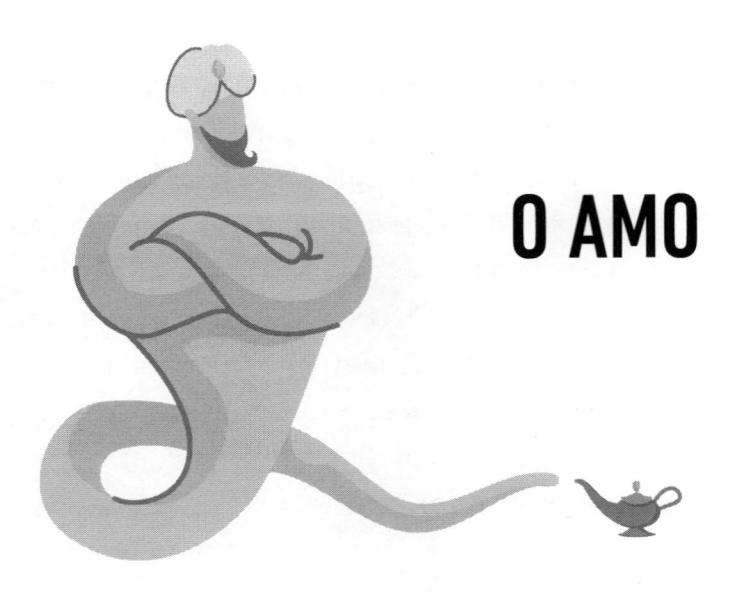

Abdul imediatamente percebeu que alguém havia esfregado sua lâmpada-claustro: seu amo e senhor era um capitão pirata que sobrevivia de saquear embarcações mercantes. De todos os tipos possíveis, aquele era um amo que definitivamente não estava nas expectativas de Abdul.

Sem poder desviar-se de seu destino, ele pronunciou a frase que lhe competia: "Em que posso lhe servir, meu amo?".

Ontem tive a oportunidade ímpar de atender Raquel em consulta. Ela me procurou com um incômodo raro em minha rotina profissional: coceira persistente no couro cabeludo há um ano, que ocorre mais ao cair da noite, para a qual ela já consultou uma infinidade de médicos de diversas especialidades e realizou muitos exames (incluindo biópsias) que não apontaram qualquer explicação ou solução plausível para a questão. Ela tem quase 70 anos, gosta de tudo bem organizado (mas não chega a ser uma mania), evita festas, passa por dificuldades atuais em relação ao casamento e também toma medicamento indutor de sono. Nesse ponto, eu poderia ter decretado o final da consulta e recomendado que ela buscasse seguimento psicológico e psiquiátrico especializado (o que de fato fiz), sugerindo uma alta chance de influência psicoemocional como causa potencial de seu problema. Mas acabei me aprofundando em sua história pessoal.

Raquel é filha de uma ex-prostituta pobre de uma pequena cidade do interior de Minas Gerais que engravidou muito jovem de um rico empresário local que jamais assumiu a paternidade de Raquel. Ela foi criada em um vilarejo vizinho por sua avó materna, que a educou com o maior rigor possível, com receio de que a neta pudesse tomar o mesmo "mau caminho" da filha desregrada e malfalada. Entre os 10 e 12 anos de idade, foi morar com a mãe e o padrasto. Foi um período bastante difícil: Raquel era abusada sexualmente pelo padrasto. A mãe não acreditava nela e dava de ombros ou, pior, exigia dela silêncio para não tumultuar a vida da família. O estuprador também a ameaçava de morte em caso de denúncia. O tormento só cessou quando ela fugiu da casa da mãe, atravessando sozinha 17 quilômetros durante a madrugada, de volta para a casa da avó, na cidade vizinha.

Essa biografia é um resumo sintético e linear da história de Raquel. Mas não foi narrado assim ontem. Na prática, há muitos outros trechos, cenas, personagens e histórias paralelas contados em fragmentos não cronológicos; além de muita emoção, choro, abraço e cumplicidade que houve entre nós na consulta. A esta altura, você talvez esteja curioso para saber o que a tal coceira tem a ver com isso tudo. Raquel resolveu compartilhar comigo algo que jamais contou a ninguém: os estupros começavam sempre com seu padrasto acariciando seus cabelos, e isso vinha misturado com certa sensação de prazer e conforto que lhe gerava enorme culpa. Aqui temos, talvez pela primeira vez, uma explicação plausível para o desconforto de Raquel: a coceira no couro cabeludo como símbolo de uma memória emocional impactante e mal digerida, guardada desde os tempos de formação do cérebro dela.

Há outras possíveis explicações para questões atuais da vida dela, quando as conectamos com temas importantes dos idos iniciais de sua biografia. A avó materna (sua mãe "de fato") era extremamente organizada, rigorosa e exigente, o que pode ser uma pista para entender a inclinação de Raquel por organização: tornar-se a filha "certinha" que a avó não teve. Quando criança, Raquel presenciou sua mãe, nos fundos da casa, ferir-se propositalmente no tórax com uma faca, durante uma festa, após uma discussão com um namorado: uma memória que nos ajuda a compreender sua aversão atual a festas e celebrações. Raquel descreve o marido como alguém rude, ríspido e agressivo ("sem ser violento"), características que se alinham com muitas similaridades com seu padrasto abusador da infância: uma correlação que pode nos dar indícios do motivo de sua atual crise no relacionamento. A coceira piora ao cair da tarde e no início da noite, horário premonitório em que os abusos sexuais aconteciam.

Poderíamos nos perguntar se o agente primordial das memórias emocionais negativas de Raquel seria seu padrasto, o vilão mais óbvio. Pode até ser que sim, mas talvez, ainda mais sofrida e ressentida nas profundezas límbicas do cérebro de Raquel, esteja sua relação e a percepção de sua mãe biológica. A coceira iniciou-se logo após o falecimento dela. Poderíamos cogitar aqui a importância da marca indelével de um duplo abandono sofrido por Raquel em relação à sua mãe. O primeiro vem desde seu nascimento, já que Raquel é fruto de uma gravidez indesejada de um mero "programa" da mãe com um "cliente". Raquel foi "largada" para ser criada pela avó. O segundo abandono vem da não proteção de sua mãe em relação a seu padrasto. Ela simplesmente preferiu não acreditar na própria filha e fazer vistas grossas ao abuso sexual que ocorria debaixo de seu nariz, por dois anos seguidos.

Quem poderia ser o "amo" de Raquel? Seria seu marido truculento (que tende a resgatar o antigo padrasto)? Seria sua avó materna, que queria uma neta "certa" em oposição a uma filha "errada"? Seria sua mãe, que a desamparou duplamente: numa tentativa de ter o afeto que nunca veio da forma que Raquel gostaria que tivesse sido? Note que talvez sejam todos esses amos mentais ocultos que influenciaram grandemente o esculpir da trajetória de vida dela.

Presos à nossa lâmpada, podemos nos deparar com vários amos diferentes ao longo do tempo e talvez, quem sabe, até atrair certas categorias de amo com base no tipo de garrafa mágica a que estamos enclausurados, com os respectivos gatilhos mais congruentes com ela.

Já tive alguns senhores de estimação durante a minha vida. A comida, pode-se dizer, foi um deles, como mencionei antes: inflei e maltratei meu próprio corpo por décadas para servir a esse amo. Outro deles foi o dinheiro. Sujeitei-me a um sem-número de situações bizarras para servir a esse mestre, desde trabalhar muito além do razoável, privando-me de um mínimo de descanso e sono, passando por reprimir vocações mais alinhadas à minha própria essência e ao meu coração em favor de outras atividades com melhor retorno financeiro até chegar ao cúmulo de usar o nome da minha própria esposa para negócios de alto risco. É impressionante a nossa capacidade de subserviência a mestres, amos, deuses e senhores completamente estapafúrdios. Temos pânico de não pertencer, pavor de não ser aceitos, medo de ser julgados e excluídos, e isso nos empurra para a sujeição ao bizarro, ao maligno, ao *nonsense*.

Maria vive já há tempos angustiada e oprimida pelo chefe, um cara mandão e rude. Na maior parte das conversas, dificilmente ela deixa passar batida a oportunidade de mencionar suas dificuldades no trabalho por conta do superior tóxico. Passa a impressão de que, se conseguisse mudar de emprego ou se o chefe saísse da empresa, todos os problemas seriam resolvidos e ela viveria num mar de rosas coberto por arco-íris e unicórnios alados, feliz para sempre. Mas o que Maria não costuma contar (nem para si mesma) é que, antes do emprego atual, numa outra empresa, ela também teve sérias dificuldades para lidar com um colega autoritário. Antes disso, passou por muitas turbulências num relacionamento com um namorado repressor. Voltando a fita da biografia dela, encontramos a convivência com um pai ríspido e severo. Algumas observações seriam possíveis: Maria é azarada? Nenhum homem presta? Ela deveria fazer terapia? O mundo é cruel? Note que talvez possa haver uma dose de cada, porém quiçá ela esteja numa sequência repetitiva de amos, carregando consigo constantemente sua mesma lâmpada (e o mesmo cérebro) em todo lugar que transita.

Mesmo cérebro que não muda, mesmas situações sucessivas. Mesma garrafa mágica, mesmo padrão repetitivo de amos. Nossa cabeça tem uma habilidade aguçada para fazer o igual parecer completamente diferente: vivemos amarrados a padrões cíclicos e redundantes de comportamentos e experiências que nos geram sofrimento, supondo erroneamente que cada novo ambiente, pessoa ou circunstância produziria problemas completamente distintos e não relacionados entre si, sem perceber que, na verdade, estamos aprisionados pelo mesmíssimo tema de base profundo, antigo e oculto. O cérebro concebe esse truque de ilusionismo com o provável objetivo de preservar e proteger intocada nossa lâmpada mágica, que é precisamente o conjunto de mecanismos inconscientes de defesa que constituem nossa própria identidade. Enquanto nos autoenganamos considerando que experimentamos um desafio novo em folha, digladiamo-nos com os amos e gatilhos externos da vez, deixando passar batida a oportunidade de lidar com o que, de fato, é o núcleo duro potencialmente libertador: nossa própria mente engaiolada dentro da lâmpada feita de pensamentos antigos escondidos.

O mito do gênio da lâmpada, tal como o conhecemos hoje em dia, ganhou força no imaginário coletivo mundial a partir de Aladim, dentro de *As mil e uma noites*. Inicialmente, eu tinha planejado resumir esse magnífico clássico que dá vida ao personagem que embasa toda a metáfora desse livro, mas desisti da ideia por alguns motivos: a maioria de nós conhece os principais fundamentos da história, e resumi-la aqui talvez não trouxesse grandes benefícios; a leitura da versão original integral é muito superior a qualquer resumo; e, por fim, considero um tanto enfadonho esse trabalho de formatar uma sinopse.

Vale aqui um importante alerta: muitos de nós conhecemos mais a trama do conto adaptado por desenhos animados e filmes da Disney do que os elementos peculiares da história original "Aladim e a lamparina maravilhosa", dentro do compêndio de *As mil e uma noites*. Assim, no lugar de resumir o original, considero mais pertinente apontar as diferenças que existem entre ele e as adaptações contemporâneas mais populares.

Uma primeira distinção que me saltou à vista foi a presença relevante da mãe de Aladim na versão original, algo que as adaptações modernas não trazem. Sua mãe é um personagem recorrente durante a primeira metade da história, servindo de ponte e instrumento crucial para ele se aproximar do sultão e conseguir se casar com a princesa. Curioso também é o fato de que, lá pela metade da história em diante, a mãe simplesmente deixa de ser mencionada, não voltando mais a aparecer durante o enredo. Ficamos sem saber o que teria ocorrido com ela.

Uma peculiaridade do original: existem dois gênios, e não apenas um, no conto, sendo que o primeiro a aparecer é um tanto menos poderoso e está ligado a um anel. O outro é o clássico gênio da lâmpada propriamente, com capacidade mágica irrestrita.

Outra constatação chocante para mim: a história se passa na China, e não no Oriente Próximo. Sim, Aladim é um personagem chinês, e não árabe.

Normalmente, as versões atuais, mais simplificadas, trazem apenas um inimigo para Aladim, mas o enredo germinal apresenta três grandes opositores para ele. O primeiro é um feiticeiro magrebino (oriundo do Norte da África) que encontra em Aladim o intermediário perfeito para conseguir se apoderar do seu objeto de desejo: a lamparina mágica. O segundo grande oponente do protagonista é o vizir do sultão, que queria ver seu próprio filho (e não Aladim) casado com a princesa. O terceiro antagonista é o irmão do feiticeiro magrebino, que aparece no final da história para tentar vingar a morte do irmão.

E, por falar na dita-cuja, cabe mencionar a ocorrência de alguns óbitos durante o desenrolar da narrativa, algo comumente ausente nos congêneres contemporâneos da Disney.

Duas pequenas curiosidades para finalizar a lista de diferenças inusitadas: não há tapetes mágicos no original (algo corriqueiro nas adaptações modernas) e também não existe um limite de três pedidos ao gênio da lâmpada: o seu detentor podia fazer quantos e quaisquer pedidos que desejasse, na frequência que bem entendesse. Não tenho o menor palpite de como pode ter surgido a ideia posterior de três pedidos.

Somos seres gregários, temos a sociabilidade marcada de forma indelével no nosso cérebro: há amplas redes neurais dedicadas à capacidade de compreensão, comunicação, reconhecimento de fisionomia e expressões faciais, linguagem e uma série de características que nos possibilitam relações interpessoais. Nossa vida tem sentido a partir da conexão com outras pessoas. Família, empresa, cidade, sociedade, economia, comunidade, grupo, religião, país, civilização, política: todos os grandes temas humanos em torno dos quais orbitamos envolvem relacionamento interpessoal e sociabilidade. Você até pode optar por se tornar um ermitão, isolando-se no meio do mato ou num *bunker* no meio da cidade, entretanto ainda assim o fará porque foi criado dentro de um grupo e usará ferramentas, técnicas e conhecimentos concebidos no seio dessa comunidade (local ou global). Mas, supondo que você não seja um caso raro e fortuito de um leitor anacoreta, necessariamente tem sonhos, trabalhos, problemas, desafios, objetivos, dificuldades e motivações que envolvem, no mínimo, pelo menos mais um outro ser humano.

Fazer desaparecer o convívio com as pessoas do nosso entorno está fora de cogitação para a maioria de nós e parece também, de certo modo, ir contra a seta da história evolucionária do *Homo sapiens*. Especialmente desde o advento da chamada revolução cognitiva, ocorrida há cerca de 70 mil anos, quando nossos ancestrais conceberam a narrativa ficcional, a história natural de nossa espécie parece ter claramente nos impelido rumo a uma convivência social cada vez mais ampla e intensa. Saltamos de pequenos bandos e clãs que não ultrapassavam sessenta a oitenta indivíduos para a enorme civilização global interconectada atual.

Para o bem ou para o mal, as relações inter-humanas estão aí para ficar, então talvez o mais sensato seja aprender a interagir da forma mais harmoniosa possível, gerando benefícios tanto para nós quanto para os que vivem ao nosso redor. Se é bem verdade que os relacionamentos podem nos ferir, é igualmente real que eles podem ser fonte de cura.

Conquanto existam amplos benefícios advindos de viver em sociedade, há também o ônus disso. Para fazer parte do bando, temos que nos submeter às suas regras, tanto as mais explícitas, como leis e regulamentos, quanto as mais sutis, como os padrões subentendidos de comportamento cultural. A influência da interação social é tão poderosa que afeta inclusive o modo como escolhemos. Um volume robusto de evidências científicas aponta, por exemplo, que o grau de risco que aceitamos correr difere enormemente quando temos que tomar decisões em contextos distintos envolvendo apenas nós mesmos, amigos, familiares ou desconhecidos.

De todas as questões que emergem das relações interpessoais, vou mencionar uma que me parece fundamental no contexto deste livro: a nossa tendência a buscar intensamente o reconhecimento alheio. Esse parece ser um dos ingressos principais para nos sentirmos integrantes do clube de convivência com outras pessoas. Uma das chaves críticas para compreender por que podemos escorregar facilmente para dentro da síndrome do gênio da lâmpada (escravizados para atender o que supomos que os outros esperam de nós) é a necessidade inconsciente de ser aceito.

Uma abelha excluída de uma colmeia, um pássaro fora de seu bando, um lobo sem sua alcateia ou um homem das cavernas rechaçado por seu clã estariam seriamente condenados, com chances mínimas de sobreviver. Estamos biologicamente impregnados do medo do abandono, o pavor do não pertencimento, o pânico da exclusão.

Há uma linha muito tênue entre participar de um grupo de um lado e ter a necessidade de reconhecimento alheio de outro. Pode-se facilmente escorregar para uma obsessão oculta de necessidade de aceitação social. Tal veneno sutil é um dos lubrificantes mais potentes a nos fazer escorregar para dentro da lâmpada mágica.

Note, contudo, que a necessidade de aceitação é um ato de violência. Trata-se de uma espécie de abuso autoinfligido porque, para ser aceito, devemos nos sujeitar, gostando ou não, a parâmetros externos não escolhidos por nós. Transformamo-nos como em um bloquinho quadrado de brinquedo infantil de encaixe tentando se espremer por uma passagem redonda. Ou viramos redondos, ou não passamos. Mas trata-se não somente de um ato de "autoviolência", senão também de dupla violência, pois não deixa de ser um abuso contra os outros: violentamos também os outros ao nos empurrar goela abaixo de todos para sermos aceitos, como num instinto "se eu preenchi todos os requisitos do clube, vocês terão que me engolir agora!". Mas, quando não somos aceitos por unanimidade onde quer que desfilemos, e isso nunca acontecerá, podem surgir naturalmente os sentimentos inconscientes de "punir o outro", "autoflagelo", "vingança", "baixa autoestima", "desesperança" etc.

A necessidade de aceitação e busca pelo reconhecimento alheio nos surge inicialmente como mecanismo instintivo básico de sobrevivência desde que somos bebês: se não formos aceitos pelos nossos genitores/cuidadores, morremos. Ocorre que esse tema deve ser transformado em alguma fase da nossa vida adulta, sob risco de ficarmos presos a essa "dupla violência" descrita. Tendemos a carregar imagens e percepções de abandono, rejeição ou distanciamento mal digeridas em nossas memórias emocionais ocultas. São feridas antigas e profundas que não cicatrizam na escuridão do inconsciente. Só podem começar a curar quando trazidas à luz da consciência. Dificilmente alguém pode se libertar dessa corrente de espiral negativa da necessidade obsessiva de reconhecimento alheio sem a devida reinterpretação das primeiras experiências de desprezo e exclusão. Sem esse trabalho de reconstrução autobiográfica, tendemos a nutrir comportamentos e hábitos compulsivos, passando aos outros a fatura da "conta não paga" pelos nossos pais, algo como: "Se meus pais não me amaram da forma que eu acho que deveria ter sido, vou dar um jeito de obter isso através de outras pessoas ou mesmo do resto do mundo todo".

Ser irrestritamente aceito por nossa versão adulta é o tipo de acolhimento de que a criança ferida que todos nós carregamos (sim, você também, caro leitor, não só pessoas com casos caricatos de grandes traumas) pode se beneficiar. Isso ajuda a reprogramar obsessões mentais ocultas e carências, que tendem a nos empurrar para hábitos e comportamentos compulsivos nocivos e terceirizações e transferências de culpas e responsabilidades aos outros.

Nos primórdios da neurociência, o cérebro humano era tido como uma "máquina reativa" que recebia passivamente impulsos sensitivos do ambiente, os processava e depois devolvia determinada resposta. Tudo corria bem com essa narrativa de entendimento do sistema nervoso central, até que ela começou a caducar para explicar diversos fenômenos da interação do nosso cérebro com o meio. Começaram, dessa forma, a surgir diversas evidências científicas de que o encéfalo funciona muito mais como um "aparelho projetor" (como aqueles que ficam atrás dos buracos da parede traseira nas salas de cinema) do que como um reator passivo. Sabemos atualmente que, antes mesmo de receber um estímulo sensorial, o cérebro já prepara seu próprio ponto de vista e sua expectativa interior para receber tal influxo. Ou seja, estamos constantemente despejando ao nosso redor estimativas, previsões, expectativas e antevisões a respeito daquilo que supomos que a interação com a realidade vai nos proporcionar.

Outro dia, enquanto eu mastigava algo duro, desprendeu-se um pequeno pedaço de uma antiga restauração dentária da minha boca. Nos dias subsequentes, me incomodei bastante com a sensação de falta daquele minúsculo pedaço de dente. Mesmo sem nenhum tipo de dor, eu ficava o tempo todo passando a língua exatamente na região do pedacinho ausente. Mas como eu podia estar incomodado com a falta de um pequeno pedaço de resina (nem sequer se tratava de uma parte de dente original) se não existia absolutamente nenhum nervo que a conectasse ao meu cérebro? Minha língua passou anos e anos informando meu sistema nervoso central a respeito de como era a arquitetura dentária normal da minha boca. No dia em que um mísero fragmento protético caiu, imediatamente passou a existir um conflito entre o que meu cérebro esperava que existisse e o que realmente existia, gerando um incômodo que levou a uma compulsão por passar sistematicamente a ponta da língua precisamente na região que deveria estar ali mas não estava. O que me moveu com brevidade ao dentista para resolver o problema? Não, não foi nenhuma dor. Não, não foi nenhuma preocupação estética (era um dente do fundão, bem escondido). Não, não foi nenhum receio de natureza mastigatória (era um pedaço ínfimo, afinal). Foi simplesmente acalmar meu cérebro, devolvendo a ele a confirmação da previsão de arquitetura dentária que ele tanto estimava encontrar.

Pode-se dizer que o cérebro humano é muito mais que uma mera antena passiva de captação de sinais exteriores: ele é um escultor ativo da realidade à nossa volta. Ver o copo meio cheio ou meio vazio, enxergar a flor nos espinhos ou os espinhos na flor, observar a pinta no rosto ou uma bela face com uma pequena pinta e reclamar do vento ou empinar pipas dependem muito mais do estado de processamento neurofuncional global do encéfalo do que do copo, da flor, do rosto ou do vento em si. Esse referencial próprio do cérebro é amplamente diverso de pessoa para pessoa e também muitíssimo variável e dinâmico num mesmo indivíduo, e é condicionado, como bem sabemos, por uma infinidade de contextos.

Dia desses, minha esposa comentou como eram díspares as impressões que ela tinha da mãe na infância em relação às suas irmãs, com idades bem próximas. Alguém que as ouvisse separadamente relatando as características da minha sogra certamente pensaria se tratar de quatro mães completamente diferentes, jamais da mesma pessoa.

Sua mãe da infância é um constructo ficcional que só existe dentro da sua cabeça e em mais nenhum outro lugar do mundo. Não é a mesma pessoa que seus irmãos enxergavam nem a que seu pai percebia, nem a que ela imaginava ser, nem tampouco a sua mãe atual. Reduzir a realidade à nossa memória ou à estreita interpretação que fazemos dela pode ser fonte de amplos sofrimentos. Cada indivíduo enxerga a realidade baseada em filtros e projeções existentes na formatação única de seu próprio cérebro.

Para enfrentar um mundo de incertezas, fazemos constantemente previsões (conscientes ou não) de cenários prováveis para decidir como agir ou escolher para obter os resultados pessoalmente mais satisfatórios possíveis. Assim, com base na previsão de um retorno esperado, tomamos decisões e formamos hábitos e comportamentos com o intuito de conseguir o melhor resultado utilitário possível. Todo esse processo é embasado por crenças, aprendizados anteriores e informações atuais em tempo real. Sob esse aspecto, poderíamos dizer que o cérebro funciona como um dispositivo de estimativas, constantemente projetando probabilidades e cenários estocásticos. Trata-se de uma das teorias mais aceitas atualmente em neurociência: o *cérebro bayesiano*, nome que faz referência a Thomas Bayes, matemático inglês do século XVIII que, através de fórmulas, equações e teoremas, ajudou a compreender a influência de uma estimativa anterior para uma projeção atual.

Para decidir ir ou não até a academia de ginástica, uma série de processos mentais (alguns conscientes, outros nem tanto) são pesados na nossa cabeça: o potencial ganho estético, de saúde ou de "ficar bem na fita" com os outros; a força da recomendação médica; o custo financeiro; o tempo dedicado à atividade; o fato de já termos ficado seis meses pagando sem pisar por lá; o esforço físico e mental necessário para vencer a inércia do sedentarismo; a distância de deslocamento; a possibilidade de interação social; a necessidade de higiene posterior; a disponibilidade de vestimenta adequada; a convivência com amigos e parentes "*fitness*"; nosso histórico pessoal com atividades físicas desde a infância; a vergonha de mostrar a pança em meio a corpos sarados; e por aí vai. Nosso cérebro vai pesar todos esses fatores, projetar cenários prováveis futuros levando em conta ir ou não ir, e, finalmente, uma região frontal da camada cinzenta externa do cérebro vai dar o veredicto final.

Estamos sempre projetando nossas estimativas para interagir com o mundo, e isso é feito com lastro em valores muito subjetivos e pessoais. A força disso é tamanha que existe evidência científica de que afeta, inclusive, a forma como percebemos nossas sensações físicas. Em situações de dor crônica, parece existir uma deturpação da previsão cerebral esperada para determinado estímulo sensitivo vindo da região do corpo afetada. Assim, sensações que, em situações normais, seriam interpretadas naturalmente passam a ser "lidas" como dor, não necessariamente devido a uma lesão orgânica estrutural, mas sim porque o cérebro passa a "construir" inconscientemente essa percepção negativa. Hoje sabemos que é crucial o papel da sensibilização cerebral anômala para a manutenção de dores crônicas, qualquer que seja o local do corpo acometido e independentemente da existência ou não de lesão anatômica ou funcional da área dolorida. Cerca de 75% da eficácia de qualquer dos principais tratamentos atualmente usados para dor crônica ocorre devido ao componente placebo (não ligado ao substrato físico ou químico do tratamento). Tal resposta é mediada por atividades mentais envolvendo processos preditivos do cérebro (expectativas e antecipações), em sua maioria inconscientes.

OS PEDIDOS

"Encha minha embarcação de ouro, prata, joias e pedras preciosas!", ordenou o amo.

"Vossa vontade seja atendida, meu senhor", respondeu Abdul, preenchendo subitamente todos os deques com uma enorme quantidade de metais e pedras valiosíssimas de tamanhos, formas e cores exuberantes e variadas. O gatuno ficou exultante de alegria, contemplando com júbilo toda aquela fortuna transbordando pelas escotilhas.

"Agora traga aqui meus detratores, as mulheres que me esnobaram, a família que me desprezou, meus inimigos e todos aqueles que quiseram me prejudicar para que eu possa esfregar minha fortuna e poder na cara deles!", solicitou o pirata, que viu seu barco instantaneamente povoado por uma multidão confusa e atônita: toda a plateia requisitada estava aos seus *pés. Ele não podia conter sua satisfação e gargalhava triunfante em altos brados. Tinha diante de si tanto a riqueza pela qual almejou por toda a vida quanto a cambada de gente odiosa incapaz de lhe dar valor. E o melhor: tudo ao mesmo tempo! Era impossível segurar tamanho êxtase triunfante.*

Mas, com todo o peso do tesouro e da turba, a nau não suportou e começou a emborcar e afundar. Em desespero, o amo solicitou: "Salve-nos!". Ao que prontamente desapareceram todos os convidados e também a riqueza recém-conquistada. Com o terceiro pedido concedido, Abdul recolheu-se de volta ao seu claustro, e um ex-senhor e agora ainda mais frustrado e raivoso pirata atirou ao mar a lâmpada mágica.

Foram muitos os amos a quem Abdul serviu depois disso: de jovens moças sonhadoras, passando por camponeses, até reis. Apesar de pessoas, cenários, pedidos e circunstâncias os mais diversos, o ciclo de desejos mirabolantes e desfechos frustrantes parecia ser a regra.

Houve um tempo em que, mesmo em dias nos quais terminava todos os compromissos de trabalho mais cedo, eu evitava voltar para casa. E isso não ocorria porque eu não gostasse do meu lar ou não amasse minha família. Tampouco era para poder ficar sozinho ou porque eu tinha uma vida dupla escondida. O que me impedia, na verdade, de aparecer em casa naquelas ocasiões era evitar, a qualquer custo, que pudessem pensar que eu não me matava de trabalhar. Era impensável, há alguns anos, arriscar minha imagem autoimposta de provedor financeiro dedicado e sacrificado. Era preferível perder o valioso tempo de convívio afetivo com esposa, filhos e amigos a ter arranhada a imagem da fachada que me era tão estimada. Digamos que as cirurgias ou consultas acabassem bem mais cedo que o habitual (tarde da noite) por qualquer motivo imprevisível: eu tratava de ir ao cinema ou perambular por centros de compras, cafés ou qualquer lugar, preferencialmente sozinho, para que não houvesse chance de que algum conhecido ousasse cogitar que eu não fosse alguém extremamente ocupado e apressado 100% do tempo, todos os dias.

Um dos nossos amos mais cruéis é o inconsciente, que costuma usar nosso ego para nos solicitar os pedidos mais bizarros e absurdos. Muitas vezes, projetamos nos outros esse terrível amo interior que nos escraviza: invariavelmente eu culpava a baixa qualidade dos meus amigos para evitar encontrá-los, ou a frivolidade dos meus parentes para fugir do convívio, ou os gostos caros da minha esposa para ter que me sacrificar no trabalho para ganhar mais e mais dinheiro. Porém, essas eram somente desculpas esfarrapadas e embustes. Tratava-se apenas de um modo infantil de projetar sombras do amo-chefe (meu inconsciente) para amos-subalternos: amigos medianos, parentes inadequados e esposa perdulária, que me compeliam a ter comportamentos que me tolhiam a própria liberdade. Oh, pobre coitadinho de mim... tão indefeso e cercado de um mundo tão opressor... um infeliz gênio enclausurado e preso dentro de sua lamparina, obrigado a atender aos pedidos dos outros sem nunca poder ter um minuto de paz e tranquilidade... Ai, que dó! Por mais estapafúrdia que fosse, essa era precisamente a narrativa insana que justificava todo um modo opressivo autoimposto de viver de forma sofrida. Porém, na verdade, jamais houve amigos medíocres nem parentes tóxicos, nem muito menos uma esposa esbanjadora. Todos esses eram personagens fantasiosos criados dentro da parte subconsciente do meu cérebro e despejados na leitura que eu fazia dessas pessoas. Depois que saí dessa lâmpada, passei a enxergar gratidão e privilégio nos antigos e cada vez mais comuns novos amigos, comecei a ver uma rica diversidade próspera na parentada que antes eu evitava e posso hoje aprender comedimento e moderação com aquela mesma esposa que um dia tachei de gastadora e que, na verdade, é um exemplo de parcimônia.

Chiquita era uma menina que amava muito a mãe, uma verdadeira heroína inspiradora, aos seus olhinhos. Chiquita fazia questão de mostrar tudo o que fazia para ela: desenhos, lições, comidinhas, pinturas e tudo mais. Aonde quer que a mãe fosse, lá estava ela em seu encalço. Sentia quase como se ela e a mãe fossem uma coisa só. Mas, em meio a essa maravilhosa vida, Chiquita começou a perceber algo estranho: existia sempre uma nuvenzinha sombria pairando por sobre a cabeça de sua mãe. Ninguém mais conseguia notar aquilo, apenas Chiquita. Incomodada, chegou até a indagar a própria mãe a respeito, porém ela deu de ombros e a repreendeu por sua "imaginação fértil". Pois é, aparentemente nem mesmo a mãe conseguia enxergar a tal nuvenzinha desagradável. Contrariada com essa situação, Chiquita teve uma ideia: "Já que a nuvenzinha em cima da minha cabeça é alegre e cintilante, vou pegar uma parte da nuvenzinha feia da minha mãe pra mim!". E assim ela fez.

Chiquita cresceu e virou uma adulta normal como todo mundo. Um dia, em meio a um turbilhão de problemas com doenças, dores, marido rude e chefe autoritário, ela se viu chorosa diante do espelho com um semblante triste e notou algo surpreendente: a nuvenzinha no topo de sua cabeça não era mais luminosa e resplandecente, estava sinistra e feia tal qual se recordava daquela que flutuava por sobre a cabeça de sua mãe na infância. Num arroubo, correu para encontrar a mãe e percebeu que a tal nuvenzinha dela continuava igual. Depois, saiu em disparada para ver sua filha. Olhou por sobre a cabecinha da pequena garota e viu uma nuvenzinha (em que nunca havia reparado antes): manchas sombrias começavam a tomar parte do fundo cintilante. Nesse exato instante, ela entendeu tudo. Hoje em dia, muitos notam a espetacular mudança de semblante de Chiquita: mais alegre e jovial. Quando perguntada sobre qual é o "segredo", costuma responder de um jeito muito estranho: "Todos os dias eu me olho no espelho e tento tirar um pedacinho obscuro de uma nuvenzinha que existe sobre a minha cabeça. Quando consigo, passa a resplandecer uma parte cintilante que estava escondida".

Colocar-se na posição de sofrimento como impulso para tentar salvar o outro é uma das armadilhas mais perigosas a que podemos nos enjaular. E é muito comum, pois se trata de um dos mecanismos de defesa instintivos mais frequentes dos quais dispomos para lidar emocionalmente com percepções negativas antigas e profundas da nossa história.

Gente, fico besta de ver como, sem nem perceber, nós somos leais ao sofrimento das pessoas que nos são caras. Travamos nossa própria felicidade com receio de romper esse vínculo doentio estabelecido por amarras de dor. Reprimimos nossa própria liberdade em nome desse pacto silencioso de pequenez mútua. Mas aqui vai um "segredo": isso não é Amor, não... tsc, tsc, tsc... sinto informar. Pode ser medo, pode ser carência, pode ser conveniência, pode ser contrato de egos, pode ser o raio que o parta, só, definitivamente, não é Amor. Não mesmo. Ou vai me dizer que ser triste como sua mãe é sinal de Amor? Ou será que ser reclamão como o seu pai vai te ajudar a ser mais amoroso? Ou será que ser ansioso como sua avó vai deixá-lo mais feliz? Eu mesmo passei décadas preso a esse tipo de cilada.

Tenho, porém, uma boa notícia: talvez não seja preciso fugir nem brigar com nenhuma das pessoas que nos são importantes para nos libertar. Não é necessariamente com elas que devemos romper, mas sim com a porcaria do pacto invisível com o sofrimento alheio, que insistimos em manter de forma inconsciente com medo de não sermos aceitos ou reconhecidos.

Costumamos ter medo de ser felizes sem nem sequer compreender por quê. Uma das maiores ilusões que nutrimos em relação ao encontro com nossa verdadeira felicidade é o medo do egoísmo. Quando se diz que a felicidade é o agora (não o futuro nem o passado) e o mundo interior (não os prazeres que vêm de fora), surge, quase que instintivamente, o receio do isolamento, a desculpa da falta de planejamento e o medo do egocentrismo. Mas se um dos nossos objetivos primordiais é servir o outro, o que poderíamos entregar de real valor sem antes sermos plenos e repletos de felicidade? Se não nos preenchermos antes de felicidade real interna, estaremos vazios, ocos e incompletos. O que um "eu murcho" tem a oferecer de significativo ao outro? Não se faz uma boa festa com balões vazios. Dedicar-se ao outro negligenciando a si mesmo é como querer ajudar a matar a sede de alguém servindo um copo vazio. Cuidar do outro menosprezando a si próprio é como querer ajudar a matar a fome de alguém entregando um prato vazio.

Sejamos fiéis ao Amor, à felicidade e à paz, que emergem quando deixamos de louvar o sofrimento. Que aprendamos a deixar de ser copos e pratos vazios. O maior ato de compaixão que alguém pode almejar é, em primeiríssimo lugar, ajudar a si mesmo a ser feliz.

Outro dia, recebi de uma amiga o link de um TEDTalk (palestra). Os primeiros pensamentos que cruzaram a minha cabeça foram: "Putz, esses vídeos duram pelo menos 15 a 20 minutos... não sei se estou com saco para ver isso". "Putz, eu já até li o livro dessa palestrante... será que o vídeo vai me acrescentar algo?" "Putz, que hora para mandar isso, hein?!". Depois de deixar passar a avalanche de pensamentos negativos, resolvi, de forma contraintuitiva, assistir ao vídeo (não na mesma hora, mas em algum outro momento naquele mesmo dia). Uma palestra espetacular, diga-se de passagem. Poderia ter passado batida a oportunidade, caso tivesse me rendido aos pensamentos iniciais defensivos (seeempre eles!) do tipo "não quero que nada atrapalhe meu caminho". No fim, assistir ao vídeo deve ter sido um dos pontos altos naquele dia. Reconstruindo os caminhos mentais que me fizeram, num primeiro momento, rechaçar o presente e depois, mais adiante, aceitá-lo, aprendi que:

- Se considero altruísmo, solidariedade, doação, entrega, Amor e compaixão importantes, então, além do ato de "doar", há que se valorizar também o ato de "receber". Talvez dar e receber sejam, no fundo, a mesma coisa, faces de uma mesma moeda ou pontas de um mesmo fluxo. Ao desmerecer um dos lados, afundamos a beleza de todo o conjunto.
- Ensinar sem aprender é como expirar sem inspirar.

Um dos grandes fenômenos de popularização em massa e de larga escala do mito do gênio da lâmpada foi a série americana de televisão *Jeannie é um gênio*, lançada na década de 1960.

Eu me lembro de assistir, quando criança, às reprises desse seriado. Tinha enorme dificuldade de compreender as falas dos personagens, já que, na década de 1980, a qualidade técnica de áudios e dublagens era bastante limitada. Além disso, embaralhei nas minhas memórias o enredo dessa série televisiva com outra contemporânea: *A feiticeira*. Até antes de iniciar a pesquisa histórica para este livro, eu ainda pensava erroneamente que Jeannie torcia o nariz para produzir sua magia, mas isso não é verdade, já que quem fazia isso era Samantha, a protagonista de *A feiticeira*. Note como nossas memórias e recordações são bem menos confiáveis do que acreditamos. Suponho que tal tipo de confusão não seja apenas minha, já que os dois seriados apresentam algumas similaridades marcantes: duas protagonistas com compleições e biotipos físicos parecidos, ambas com poderes mágicos, de produções contemporâneas e sendo exibidas na mesma época. Para um telespectador ocasional e fortuito (como uma criança brasileira da década de 1980) de reprises eventuais exibidas muitas vezes fora de ordem e sem uma regularidade precisa, não chega a ser surpreendente esse tipo de confusão.

A popularidade de *Jeannie é um gênio*, uma série cômica situacional produzida no contexto da ascensão norte-americana e distribuída mundo afora por décadas, ajudou a alavancar sobremaneira o ícone do gênio na garrafa em escala global.

É digno de nota que, no primeiro episódio da primeira temporada, o amo explicitamente liberte Jeannie de suas obrigações servis para com ele, mas mesmo assim ela escolhe segui-lo e atendê-lo, movida por paixão e desejo de conquistá-lo como par romântico. Tal intento se materializa pelo matrimônio dos dois protagonistas na última temporada. De obrigação formal entre amo libertador e gênio servil, a série se desenrola a partir de um vínculo deliberadamente escolhido pela gênia (e tacitamente aceito pelo amo) em servir seu senhor mesmo sem a existência da maldição tradicional a uni-los.

Sob o ponto de vista mental, nascemos literalmente grudados à psique de nossa mãe (ou cuidador mais importante). Não somos paridos com uma entidade psicológica individual pronta e completamente separada de quem zela por nós. Bebês e crianças pequenas não se percebem como um "eu isolado" dos outros; são como um conjunto indistinto em relação aos seus criadores íntimos. A consciência de se perceber psicologicamente único e diferente dos outros vem com o crescimento e o desenvolvimento.

Partimos, assim, de uma enorme conexão mental com o mundo ao redor quando bebês e crianças para uma jornada de percepção de senso de individualidade conforme crescemos. Na medida em que vamos deixando esse universo de senso mental integrado como um todo único, passamos a desenvolver um sentido de "eu" ou de "ego". A adolescência é o marco simbólico do auge da nossa separação mental em relação ao mundo. Trata-se de um estágio fundamental nesse processo de individuação. O fim da adolescência costuma pontuar a nossa "ruptura" simbólica em relação aos pais e à família. Passamos a nos enxergar como indivíduos únicos e independentes sob o ponto de vista psíquico.

Nesse caminho, entre o ponto inicial de não ter uma identidade mental separada até o de se perceber como um indivíduo único apartado psicologicamente, existe um *dégradé* enorme de nuances, possibilidades e alternativas. É justamente nesse período que importantes moldes de pensamento criam raízes no nosso cérebro. Quando crianças, exatamente por não perceber limites mentais nítidos em relação aos nossos cuidadores, supomos inconscientemente que nossas decisões, atitudes e comportamentos poderiam "endireitar" percepções pessoais nocivas e negativas: Maria começa a carregar para si o fardo de sofrimento que enxerga por sobre as costas do pai (imaginando que "dividir" sofrimento poderia aliviar ou salvar o pai); João começa a mimetizar a personalidade da mãe, que não costuma demonstrar muito carinho (supondo que, sendo igual a ela, receberia o afeto desejado); Ana começa a projetar sua carreira de atriz mundialmente famosa, um antigo sonho não realizado por sua avó, que é a sua principal cuidadora enquanto os pais trabalham (pensando que redimir o anseio da avó poderia trazer felicidade a quem ela tanto gosta); e também há o José, a Adriana, o Pedro, e por aí vai. Acho que já deu para entender o ponto: trata-se de uma fase profícua para aprisionar gênios dentro de lâmpadas.

Por que as crianças não cumprimentam? Será que é porque ainda não foram suficientemente educadas, ensinadas e adestradas para tal? Talvez. Será que é porque ainda não entenderam a importância da etiqueta social? Talvez. Será que é porque são tímidas demais? Será que é porque não querem perder tempo e já ir logo brincar? Será que é porque gostam de envergonhar os pais? São todas especulações plausíveis. Quiçá esse fenômeno socialmente peculiar possa ser explicado de maneira alternativa, tendo em vista o contexto do assunto que estamos tratando: as características do processo de conformação mente-cérebro na infância. Partindo da premissa de que nascemos sem uma individualidade intelectual formada, temos que o bebê acha que é a própria mãe e não se enxerga mentalmente como ente único, apartado do entorno. O processo de construção de uma personalidade própria individual única é lento e gradativo e completa-se somente na adolescência. No período entre o útero da mãe e a juventude, a criança encontra-se mentalmente ainda interligada (não intelectualmente separada) às pessoas do entorno. Quanto mais nova, mais ela se sente parte integrante de todos à volta dela. Como o cumprimento é um símbolo de conexão entre pessoas, não faria muito sentido, sob o ponto de vista da criança, conectar-se a alguém a quem ela já se sente, de certa forma, mentalmente ligada. Faz muito mais sentido para os adultos (que se sentem mentalmente separados por completo uns dos outros) valorizar um símbolo de reconexão e reintegração (como o cumprimento). Ao nos cumprimentarmos, à parte as questões de etiqueta social, talvez estejamos querendo, num certo sentido, despertar algo da sabedoria infantil que costumamos perder ao longo dos anos.

Uma das frentes em pesquisa neurocientífica que nos ajudam a compreender melhor esse processo de individualização psicológica é a chamada "teoria da mente", que corresponde à nossa capacidade de perceber que temos uma mente independente daquelas de outras pessoas, com suas respectivas crenças, valores, conhecimentos, sentimentos, perspectivas e pontos de vista. As evidências desses estudos apontam para um progressivo desenvolvimento da construção de características cada vez mais robustas e sofisticadas desse processo ao longo da nossa infância e adolescência. Muitas doenças neurológicas e psiquiátricas foram correlacionadas, em trabalhos diversos, com deficiências em parâmetros da constituição da "teoria da mente", apontando inadequações em termos de interpretação dos estados mentais (próprios e alheios).

Num cenário saudável, a evolução da capacidade de perceber e prever intenções, conhecimentos, razões e motivações em si mesmo e nos outros, produzindo uma construção normal de "teoria da mente", tende a fomentar comportamentos pró-sociais nos indivíduos. Em termos ideais, quanto mais vamos nos percebendo como entes únicos, mais valorizamos a convivência coletiva e melhores habilidades de relacionamento interpessoal passamos a desenvolver.

Durante um café da manhã em família, comentei a respeito do conceito neurocientífico da "teoria da mente" e como as pesquisas eram conduzidas. Citei como exemplo um dos experimentos usados, no qual se esconde, na frente de uma criança e sua mãe, uma bolinha de gude em uma de três opções de caixinhas e pede-se para a criança encontrá-la. Até aí, nada de extraordinário: a maioria das crianças o faz com facilidade. Mas depois o pesquisador pede para a mãe sair e, em seguida, sem a mãe saber (somente a criança e o pesquisador), muda a bolinha de caixinha. A mãe retorna ao experimento, e a criança é perguntada em que caixinha a sua mãe vai procurar a bolinha. As crianças mais velhas e com mais "teoria da mente" formada, tendem a responder, corretamente, que a mãe procurará a bolinha na primeira caixa, aquela em que ela tinha sido deixada antes de sair do recinto. Nesse caso, as crianças com uma "teoria da mente" mais desenvolvida conseguem conjecturar, de forma adequada, que a mãe não poderia ter o conhecimento da mudança da bolinha de lugar. Já as mais novas e com menor estruturação de "teoria da mente" tendem a responder que a mãe vai buscar a bolinha na nova caixa, numa possível suposição errônea de que o conhecimento que a criança adquiriu da mudança de lugar da bolinha é mágica e automaticamente transferido para a mãe.

Assim que terminei de descrever o conceito de "teoria da mente" e o exemplo de experimento realizado com crianças, minha filha logo comentou: "Nossa, pai, era exatamente isso que o Olavo (irmão mais novo dela) costumava fazer! Ele voltava da escola e dizia: 'Lembra quando estava brincando hoje de corrida com o Gui, mãe?!', sendo que a mamãe não estava junto com ele na escola para poder "lembrar" disso!".

Note que, em tese, da mesma forma que a criança pode supor transferências mágicas e automáticas de conhecimento entre ela e os pais (ou cuidadores mais próximos), é bastante plausível imaginar que, durante a infância, também tenhamos a tendência de desenvolver comportamentos e características acopladas aos nossos pais: ser agressivo para "defender" a mãe ou carinhoso para "apaziguar" o pai, ou introspectivo para "calar" a avó, e por aí vai. Além disso, o surgimento de tais moldes e programas mentais em fases tão iniciais de crescimento e desenvolvimento cerebral pode deixar raízes bastante profundas, marcando tendências mentais que podem potencialmente se estender ao longo da vida adulta.

Alguns estudos apontam uma correlação importante entre o grau de "individualidade mental" que os pais concedem ao filho e sua respectiva capacidade de formar uma "teoria da mente" mais saudável. Ou seja, crianças tratadas como "entidades mentais únicas" tendem a desenvolver um grau de independência psicológica mais robusto e saudável. Note que dar identidade mental ao filho não é o mesmo que largá-lo ao deus-dará, num estilo salve-se quem puder. Significa, isso sim, tratá-lo como indivíduo único, com estados mentais e emocionais próprios e desejos e necessidades independentes.

Vejamos dois exemplos de situações que limitam essa condição de atribuição de ente psíquico singular na educação de filhos. O primeiro são as crianças que são tratadas como mais um componente em meio a um bando: pode ocorrer em casos em que os filhos são tratados quase como uma massa única, praticamente desprovida de individualidades, "educados" tais como uma boiada é criada; e não pense que são necessárias várias crianças numa mesma família para isso acontecer, bastam duas crianças com idades próximas serem tratadas dessa maneira para que o mesmo efeito seja alcançado. Um segundo exemplo ocorre em situações nas quais existe uma ocupação do espaço mental da criança por parte do cuidador principal: o universo mental parental sufoca e oprime o incipiente desenvolvimento de uma identidade mental por parte da criança, que é tratada, nesse contexto, como um apêndice da mente do adulto, que considera (mesmo sem perceber muitas vezes) a mente do filho quase como sua propriedade particular.

Mas será que a história da nossa evolução mental terminaria no final da adolescência, com a consolidação do processo principal de crescimento e estruturação físicos do cérebro e formatação mais sólida de uma "teoria da mente"? Estaríamos prontos e formados para seguir como adultos mentalmente plenos a partir daí? Provavelmente diria que não, estamos apenas em uma etapa de um processo mais amplo. Vamos então recapitular a sequência e tentar amplificar nossa visão para enxergar isso sob uma perspectiva mais abrangente. Começamos esse trajeto sem uma identidade mental propriamente dita: para todos os efeitos, somos um bloco mental único junto a nossa mãe. Conforme crescemos, idealmente vamos adquirindo uma individualidade psíquica que culmina no final da adolescência com símbolos clássicos de independência individual. Nesse meio-tempo, desenvolvemos habilidades sociais cada vez mais sofisticadas para aprender a interagir em grupos, em sociedade e em relacionamentos humanos em geral. Vamos adicionar mais alguns ingredientes agora.

Além da falta de limite mental, nascemos também com outra característica muito importante: a de receptores exclusivos. Bebês humanos são entidades completamente dependentes de cuidados alheios, sem chance alguma de sobreviver que não seja sob o zelo de outrem. Em nossos primeiros anos de vida, dependemos totalmente de cuidadores para suprir necessidades básicas de alimentação, abrigo, conforto e afeto. Morreríamos sem isso. Iniciamos nosso caminho de amadurecimento mental quase que exclusivamente para receber, sem dar nada em troca.

Agora note que, se partirmos do pressuposto de que características humanas nobres e evoluídas como compaixão, Amor, empatia e altruísmo são muito desejáveis, torna-se imprescindível que tenhamos desenvolvidas duas características fundamentais: a capacidade de doação e entrega e a capacidade de conexão profunda com outros seres humanos. Se essas duas características (amplas capacidades doadoras e conexão plena com o entorno) forem um rumo adequado para nosso desenvolvimento mental, pessoal e social, talvez possamos vislumbrar algo como um "caminho ideal de amadurecimento".

Nesse caminho pessoal hipotético, é possível que tenhamos que abandonar a individualização mental separatista que atinge seu pico teórico na adolescência para voltar ao estágio de conexão plena com o mundo à nossa volta, parecido com quando éramos bebês. Mas então para que serviria esse processo todo de criação de um ego e de uma identidade própria? Por que isso, se já nascemos com uma característica desejável "pronta de fábrica"? A resposta talvez esteja relacionada a outra importante característica de evolução pessoal humana rumo ao amadurecimento pessoal: a doação desinteressada de si mesmo. Idealmente, sairíamos de um polo exclusivamente receptor (bebê) para um polo mais doador (maturidade pessoal). Dessa forma, a criação de uma separação mental com o entorno (com o auge da individuação na adolescência) serviria como uma grande oportunidade de desenvolver habilidades e aprendizados para que possamos progressivamente deixar o papel de receptor e assumir o de doador. Durante esse percurso de evolução, podemos aprender a dar para conseguir receber, afinal a separação da nossa mente com o entorno nos coloca numa posição de isolamento psíquico em que se torna praticamente forçosa a necessidade de desenvolver a capacidade de entrega, sob pena de vermos minguar nossas fontes de recepção. Essa separação (independência mental) nos estimularia, então, a desenvolver nossa capacidade de entrega. Em fases intermediárias desse processo, ganhamos a noção de troca (tenho que dar para poder receber). O conceito de troca casa perfeitamente com o de ego e separação com o todo circunjacente. Ao intensificar o processo de entrega e doação, temos a chance de nos desapegar do polo exclusivamente receptor.

Um estágio mais evoluído de amadurecimento seria então o "retorno" à união mental plena com o todo ao nosso redor, porém agora não mais na figura de receptores exclusivos, mas na condição de doadores interdependentes, mais plenos e repletos de felicidade, paz e harmonia, desapegados da necessidade de só receber, não preocupados apenas com nosso próprio umbigo.

É óbvio que existem inúmeros desafios e armadilhas capazes de sabotar esse "trajeto pessoal ideal". Um deles é a construção de "muros invisíveis" que tendemos a interpor entre nós e o mundo ao redor, e outro é a sensação de "dívida" inconsciente que podemos carregar desde a infância, de "merecer" receber algo que "injustamente" não tivemos.

Também não são incomuns as chamadas "máscaras de amor" ou "disfarces altruístas", situações que aparentemente e na superfície se parecem com atos de doação e entrega, porém carregam uma intenção mais profunda de receber algo em troca, escondendo uma carência oculta (como busca por reconhecimento alheio, necessidade de fama, busca inconsciente por expiação de culpas etc.).

Em termos gerais, poderíamos talvez esquematizar o protótipo ideal (por assim dizer) de desenvolvimento mental em três fases: dependência, independência e interdependência. A primeira delas seriam os primeiros anos de infância; a segunda, as épocas de adolescência/juventude; e a terceira representaria uma fase de maior maturidade. É óbvio que, na prática, não se trata de fases completamente estanques e independentes entre si; nem, num belo dia, acaba uma e a outra começa na manhã seguinte. Podem existir diversos graus de sobreposição de estágios numa mesma pessoa. E também não se trata de correspondências exclusivas por faixas etárias, pois estão muito mais ligadas a características de amadurecimento mental e emocional do que a rugas na pele. Quem nunca conheceu idosos birrentos e dependentes? Quem nunca conheceu adolescentes maduros e solidários?

Nossa dependência se manifesta, por exemplo, naqueles momentos em que nos fazemos de vítima coitadinha para tentar atrair piedade alheia. Nossa independência aparece, por exemplo, quando conseguimos dizer *não* ou sair de uma situação em que nos víamos sufocados. Nossa interdependência emerge naqueles momentos sublimes de Amor incondicional em que nos entregamos de corpo e alma, percebendo que, no fundo, dar e receber são a mesma coisa.

Dia desses uma amiga me contou a respeito de alguns problemas de sono que estava tendo. Segundo a intuição dela, tais problemas estavam diretamente ligados a questões de ansiedade em relação aos possíveis futuros desdobramentos da carreira profissional do marido, que estava insatisfeito em seu emprego atual, mas também não via muitas perspectivas promissoras de mudança. Além disso, essa minha amiga não tinha renda financeira estável própria, e, assim, a família era dependente monetariamente do marido.

Quando estabelecemos, mesmo sem perceber, relações de dependência (em qualquer nível ou padrão), tendemos a ficar subjugados pelas instabilidades decorrentes do que possa vir a ocorrer com a pessoa que é contraparte nesse tipo de relação.

Sugeri à minha amiga que tentasse fazer um exercício mental. Recomendei que ela visualizasse a si mesma no dia seguinte a cenários extremos que pudessem ocorrer com o marido: ele ficar desempregado, ou doente e incapacitado para trabalhar, ou mesmo morrer. São geralmente as situações extremas que mais nos empurram para dentro da nossa própria essência, que mais nos estimulam a buscar o realmente essencial e as nossas verdadeiras forças e potencialidades. Esse tipo de exercício pode nos ajudar a encontrar nossos recursos internos mais valiosos: a parte que escapa às relações de dependência.

Talvez exista uma forma mais saudável de estabelecermos relações interpessoais: a interdependência. Em relações de dependência, geralmente nos deparamos com uma situação de "soma zero ou negativa", em que, quando um ganha, o outro perde ou mesmo os dois saem perdendo. Em relações de interdependência costumamos ver multiplicação, abundância e prosperidade, as situações invariavelmente são de ganha-ganha. Em relações de dependência, não é infrequente um precisar apagar-se para que o outro brilhe. Em relações de interdependência, comumente um potencializa o brilho do outro, gerando uma exponencial ascendente de mútuo benefício, muito diferente de uma frágil situação de gangorra, corda bamba ou elástico estirado de relações menos saudáveis.

Vou aproveitar o embalo para discorrer um pouco a respeito de outra maneira de raciocinar que também pode ser altamente limitante e fonte de um sem-número de conflitos e adversidades pessoais e sociais. Em neurociência, costuma ser tecnicamente chamado de "viés cognitivo binário" ou "pensamento categorizado". Trata-se do conhecido e tão comumente disseminado ponto de vista dualista. Aquela nossa famosa tendência natural a dividir tudo que percebemos em dois polos extremos. Não é necessária muita ginástica mental para concluir duas coisas meio óbvias em relação ao modo extremista de ver o mundo: é bem fácil de fazer, pois só existiriam duas (ou poucas) opções disponíveis para categorizar tudo e também dá merda fácil, fácil, já que nem tudo é tão simples de ser reduzido tal qual gostaríamos.

O primeiro modo de racionalização mental que utilizamos para interpretar o mundo possivelmente é a "categorização dualista". Quando crianças, costumamos dividir tudo em dois lados: os bons e os ruins, os heróis e os vilões, o preto ou o branco, os mocinhos e os bandidos, o certo e o errado, o prazer e a dor etc. Trata-se, mormente, da nossa primeira aquisição de um modo de pensar para começar a dar sentidos e interpretações para as experiências iniciais de vida. Só podemos divisar (mais adiante) vários tons intermediários de cinza se antes aprendemos a distinguir os polos opostos extremos de branco, de um lado e de preto, do outro. Essa etapa inicial de desenvolvimento intelectual maniqueísta nos serve como um excelente mecanismo de defesa para enfrentar os acontecimentos que nos rodeiam de forma a permitir um desenvolvimento psicológico e mental o mais saudável possível. Quando crianças, podemos depositar todas as percepções positivas na caixinha mental do bem e todas as percepções negativas na caixinha mental do mal. A partir daí, à moda dos contos de fadas, esperamos que as coisas que guardamos na "caixinha do mal" tenham um castigo merecido, como os vilões, e que as coisas que guardamos na "caixinha do bem" tenham um futuro glorioso de felicidade eterna, como os heróis.

Conforme os anos passam, aprendizados e experiências tendem a nos empurrar a estágios diferentes de amadurecimento intelectual. O reducionismo simplório dualista entre polos de extremos opostos deixa de ser suficiente para crescer num mundo que é muito mais diverso e complexo que apenas duas caixinhas antagônicas. Nem tudo vai poder ser resolvido com oito ou oitocentos. Quanto mais exercitamos enxergar além dos extremos generalistas, dando chance ao florescimento de todos os tons e nuances intermediários, tanto mais possibilidades de encontrar caminhos e respostas mais adequadas a nossos anseios pessoais, que muitas vezes ficam escondidas onde antes não enxergávamos qualquer porta. Passar a ver com novos olhos a infinidade de opções existentes além das duas "caixinhas" é o que idealmente poderíamos perseguir, mas nem sempre o fazemos.

Quão comum é nos depararmos com manifestações do pensamento maniqueísta-dualista pueril em áreas diversas, como política, economia, religião, educação e saúde? Será que estamos atualizando a nossa forma de pensar extremista-generalista da infância para uma consciência algo mais abrangente e multiversalista que o amadurecimento pessoal requer?

Ir de um extremo ao outro me é muito familiar. Já usei e abusei desse binarismo tosco e ainda me esforço um monte para não escorregar para o reducionismo polar. Eu costumava pensar meio assim: "Se não dá para fazer direito, melhor nem fazer, então".

Ah, tá, então quer dizer que, se não se pode alcançar a paz mundial, é melhor ser terrorista? Se não se pode acabar com a pobreza, é melhor não ser solidário? Se não posso extinguir a maldade do mundo, não preciso ser bondoso? Ah, tá, sei, bonitão, compreendi, então só serve perfeição ou podridão? Tudo ou nada? Glória ou perdição? Que jeito estranho e extremista de pensar, né?!

Hoje procuro agir de um modo um tanto diverso. Não seria espetacular ser magro e esbelto? O que fazer, então? Conformar-me em ser vítima de um destino geneticamente cruel e aceitar a obesidade como fardo permanente, já que "nada" resolve para mim, já tentei de "tudo" e não vou conseguir emagrecer rápido "x" quilos em "y" meses como eu gostaria *ou* começar a comer tudo pela metade e ver até onde isso pode me levar? Não seria ótimo escrever um livro? É viável agora? Talvez não. Então o que fazer? Deixar para escrever o "livro perfeito" para o "grande público" no dia de São Nunca *ou* ir escrevendo fragmentos possíveis para apreciação de alguns amigos agora mesmo? Não seria excelente poder curar todos os pacientes que atendo? É possível? Certamente não pelas ferramentas médicas convencionais. Então, sabendo dessa limitação, vou seguindo com os paliativos tradicionais e me resignando a minimizar o sofrimento de um após o outro de forma mais ou menos uniforme, tocando a boiada *ou* será que poderia tentar, quando a oportunidade se apresentar em situações específicas, dar um passo além dos limites restritos do papel técnico de médico para procurar tocar mais fundo a mente e o coração de alguém que possa vir a se beneficiar de uma transformação mais profunda? Não seria fantástico poder dedicar ao menos meio período do meu dia à minha família, ao lazer e outras atividades extraprofissionais? É possível agora? Talvez não. Então como proceder? Aumentar minha carga de trabalho até o limite da insanidade para acumular o máximo de dinheiro possível para acelerar ao máximo a minha aposentadoria e, aí sim, "começar a aproveitar a vida" *ou* reduzir minha carga de trabalho em uma hora por dia para abrir mais espaço para essas outras atividades?

Parafraseando São Francisco de Assis, se partimos do impossível, provavelmente atingiremos apenas o necessário medíocre. Se partirmos do possível, talvez alcancemos o inimaginável. O impossível começa sempre com um pequeno passo possível. O oposto de impossível talvez seja a inércia.

Uma etapa adiante do dualismo cognitivo seria a busca pelo equilíbrio. Mas mesmo esse exercício louvável de procurar um ponto ideal a meia distância entre dois polos opostos, apesar de muito mais saudável que viver apenas nos extremos, pode ainda não ser adequado o suficiente.

O que é equilíbrio? Uma estabilidade circunstancial, quase milimétrica, entre duas forças contrárias. Imagine a loucura que seria tentar buscar um ponto de equilíbrio em todos os aspectos da nossa vida. Talvez não fosse vida, mas um show de equilibrismo, como num espetáculo circense no alto de uma corda. Uma possível ilusão utópica inalcançável. Alternativa talvez melhor a isso chama-se harmonia. O que é harmonia? Estar em paz em qualquer ponto do jogo dos contrários ou das dualidades de forças opostas.

Vamos exemplificar. Se eu quero "equilíbrio" no trabalho, significa que vou sempre tentar estabelecer um "x" ideal de horas trabalhadas, de um "y" adequado de intensidade de carga de trabalho. Um ponto bem difícil de atingir e, o pior, mesmo que aparentemente se consiga, o tal ponto de equilíbrio tende a mudar de lugar a depender de inúmeras circunstâncias incontroláveis e, numa mudança dessas, corro o risco de me espatifar no chão. Porém, se eu encontro "harmonia" no trabalho, significa que não importa se estou trabalhando muito ou pouco, continuo em paz com meu entendimento do que o conceito de trabalho representa para mim. Nesse caso, é como se o trabalho, em falta ou excesso, não pudesse abalar minha paz interior. Eu evito que ele conduza a minha vida, através desse conceito de transcender o papel do trabalho, não para o ponto de equilíbrio, mas pela harmonia.

Como atingir, por exemplo, o ponto de equilíbrio em relação ao dinheiro? Qual seria o nível abaixo do qual não se pode ficar? Qual seria a quantidade a partir da qual o dinheiro estaria em excesso? De novo, ter harmonia em relação ao dinheiro talvez seja um caminho mais auspicioso. No lugar de tentar achar um "ponto de equilíbrio financeiro", pode-se ter paz em relação a uma miséria ou a uma fortuna, desde que se entenda o sentido do que o dinheiro representa. Quando se deixa de ser escravo do dinheiro, fica mais fácil transcender o incômodo gerado por estar em qualquer dos polos extremos.

Ao buscar o equilíbrio em algo, continuamos sendo subjugados pelas forças desse algo. Permanecemos escravizados, onde quer que estejamos posicionados na escala. Ao encontrar a harmonia, passamos a nos posicionar para além e ao largo, deixando de nos aprisionar ou abalar.

É importante notar que harmonia não implica rejeitar, negar, fugir ou evitar algo. Significa simplesmente deixar de ser prisioneiro e passar a ser senhor de si mesmo. Significa não se deixar abater pela falta nem se deixar iludir com o excesso. Significa transitar livre por conceitos e situações, onde quer que estejamos na escala paramétrica.

Você por acaso já ouviu alguma bela música "equilibrada"?! Pois bem, eu também não. A alternância estéril entre tons e pausas não produz boa música. Mas quem nunca se encantou com uma belíssima melodia harmônica?! Tons, acordes, notas, ritmos que não se preocupam com o equilíbrio, mas, ao contrário, valem-se dos próprios efeitos de desequilíbrio para atingir a transcendência sublime da harmonia.

Note-se que, assim como anteriormente foi apontado um desenvolvimento teórico saudável partindo-se da dependência para a independência e depois para a interdependência, aqui também poderíamos postular uma evolução idealmente mais favorável do pensamento, deixando o raciocínio dualista e rumando para a perspectiva equilibrista e enfim alcançando a consciência mais harmônica. Sob a perspectiva binária, estaríamos eternamente confinados dentro da lâmpada mágica de um lado, ou seríamos seres completamente desprendidos e elevados espiritualmente no nirvana de outro. Sob a perspectiva do equilíbrio, talvez ponderássemos que o ponto ideal fosse estar no orifício da lâmpada, nem muito dentro, nem muito fora dela. Sob a perspectiva harmônica, sabemos que estar dentro da lâmpada não é adequado e temos a noção clara de para onde rumar. Além disso, não sucumbimos ao compreender que podemos por vezes sair de uma lâmpada e cair em outra, porque temos o entendimento mais claro da evolução pessoal e seus desafios.

Observe que, assim como anteriormente ressalvado, a esquematização teórica do pensamento em três modos distintos (extremismo, equilibrismo e harmonia) não implica, em absoluto, tratar de categorias compartimentalizadas em que submergimos integralmente por mágica apenas em uma delas. Carregamos o potencial de exercitar qualquer uma das três formas de raciocinar ao mesmo tempo. O que importa, de fato, é em qual delas empenhamos maior esforço e dedicação no dia a dia.

PODERES MÁGICOS

"Quero o poder de me tornar invisível sempre que desejar!", ordenou outro amo.

"Desculpe minha impertinência, meu senhor, sei que não me compete, mas poderia lhe perguntar o motivo de tal pedido?", comentou Abdul, já um tanto desanimado pelas inúmeras experiências decepcionantes com outros amos.

"Ora, para conseguir saber o que os outros falam de mim pelas costas, o que eles guardam de segredos, para poder sair de situações constrangedoras ou perigosas, enfim, muito mais liberdade."

"Se me permite a ousadia de perguntar, meu amo não conseguiria fazer essas coisas todas mesmo sem tal poder?"

O descrente gênio perguntava a quem pedisse riqueza se isso traria real felicidade, questionava a quem *solicitasse vingança se teria paz, indagava a quem desejasse notoriedade se conseguiria verdadeira autoestima, mas nenhuma de suas arguições sobre os motivos invariavelmente frágeis debelava os respectivos amos de seus impulsos. A sequência de pedidos duvidosos com consequências sombrias de amo após amo parecia uma ciranda interminável de crônicas de tragédias anunciadas.*

Por razões inauditas, um dia, um amo se afeiçoou a Abdul e solicitou aquilo que parecia impossível: a libertação do pobre gênio como terceiro pedido. Finalmente, ele estava livre da maldição da garrafa, poderia decidir por si o que fazer dali em diante. Incrédulo, atônito e sem reação, tentou em vão buscar fundo em sua memória o que tinha planejado para quando justamente esse momento tão aguardado chegasse. Sabia que eram projetos muito bons, que lhe trariam enorme contentamento, mas simplesmente não conseguia resgatá-los em suas recordações. Seria retornar para sua terra natal? Constituir uma família em um local distante? Seu esforço em lembrar era inútil. O tempo desmedidamente longo devia ter sido implacável em diluir algo que serviu de esteio de esperança quando tudo eram trevas.

A terrível amnésia parecia impedir qualquer escolha ou atitude prática de Abdul rumo à tão sonhada nova vida. Ele era completamente incapaz de decidir o que fazer. Estava totalmente paralisado, aguardando o retorno das reminiscências fundamentais que seriam sua bússola para o futuro fora do claustro da lâmpada.

Vagando a esmo por lugares insignificantes em meio a gente irrelevante, o gênio de repente encontrou uma vasilha largada junto ao meio-fio. Não tinha nada de especial, era um objeto comum sem ornamentos, mas havia uma pequena insígnia no canto que parecia lembrar a letra inicial de seu nome. Aproximou-se mais de perto para examinar e constatou que estava vazia.

Não há como saber ao certo se foi descuido, acidente, sabotagem ou um ato deliberado, mas o fato é que Abdul foi sugado para o interior do objeto: um novo lar com uma antiga e conhecida maldição a tiracolo.

O que seria então, afinal, a tal "síndrome do gênio da lâmpada", título do livro que você tem em mãos neste exato momento? Segundo a definição do *Dicionário Priberam da língua portuguesa*, a palavra "síndrome" significa "um conjunto dos sinais e sintomas que caracterizam determinada condição ou situação". No nosso caso, pode-se dizer que se trata de um modo de agir à semelhança do mito do gênio da lâmpada: ter comportamentos, hábitos e escolhas que se fundamentam (mesmo de maneira inconsciente) em atender expectativas e desejos de outras pessoas (ou grupos e circunstâncias) em detrimento da própria liberdade individual. Não é infrequente que o indivíduo que padece da síndrome hipervalorize de forma ilusória seu próprio poder de conseguir entregar os pedidos alheios.

Como vimos ao longo do livro, trata-se de uma condição muito mais corriqueira e comum do que poderíamos imaginar. Muito difícil que você, eu e as pessoas todas ao nosso redor não soframos, em maior ou menor grau, com a síndrome do gênio da lâmpada. A ideia por trás de criar esse termo não é "patologizar" tipos humanos, criando mais uma categoria de doença com a qual podemos classificar e rotular determinadas pessoas. O principal motivo é servir como ferramenta de autoconhecimento e reflexão pessoal: *Quanto do meu sofrimento não poderia estar ligado às características descritas sobre esse fenômeno?* Como se trata de uma condição quase universal entre nós, não se presta ao propósito de apontar que fulano tem, mas beltrano não tem a síndrome do gênio da lâmpada. A forma adequada de vê-la é: *Quanto estou sendo consumido atualmente por isso? Como me livrar de amarras ligadas a esse tipo de condição?*

Talvez nesse ponto seja pertinente também explicar o que *não* é a síndrome do gênio da lâmpada. Ela não é o mesmo que a "síndrome do agradador" (tradução livre do termo em inglês *people-pleaser syndrome*), uma condição psicológica em que o indivíduo se sente constantemente compelido a agradar todo mundo. Nessa situação, seria mais ou menos como enxergar a todos como amos que devem ter seus respectivos desejos atendidos a todo momento. O caso mais típico é aquela pessoa que tem extrema dificuldade para dizer *não* aos outros, concorda com todo mundo, tende a pedir desculpas constantemente, tem pavor de saber que pode existir alguém triste por culpa dela, foge de conflitos, tem muita dificuldade de expor sentimentos de contrariedade e coloca-se sempre em segundo plano, priorizando o bem-estar alheio em detrimento da própria felicidade. Tal condição poderia ser colocada, num certo sentido, como um "subtipo" mais específico da síndrome do gênio da lâmpada, em que todas as pessoas do convívio são consideradas amos indistintamente, em contraste com o caso mais "clássico" da síndrome do gênio da lâmpada, em que existem apenas um ou poucos amos principais.

Outra confusão potencial seria com a "síndrome do impostor", uma condição psicológica em que o indivíduo se sente uma fraude em relação à sua própria vida, considerando-se não merecedor de conquistas pessoais, enxergando-se como um embuste que pode ser desmascarado a qualquer momento. O perfil mais típico é de alguém que não reconhece mérito pessoal em suas próprias conquistas e no próprio sucesso, trabalha muito (para tentar encontrar um senso de merecimento) ou pouco (evitando o risco de iniciar algo em que pode se dar bem), compara-se em demasia com os outros (sentindo-se sempre inferior), tem autocobrança excessiva (exigindo quase a perfeição de si mesmo para não ser "desmascarado"), tende a ser bajulador e não manter relacionamentos sólidos (com medo de que percebam suas imperfeições e falhas). Nessa situação, a síndrome do gênio da lâmpada poderia ser uma das explicações de causa possível a que alguém apresente predisposição à "síndrome do impostor". Sob essa perspectiva, alguma garrafa mágica (mecanismo mental de defesa) criada durante a conformação mente-cérebro estaria por trás das características específicas para manifestação dessa última síndrome.

Por fim, e talvez mais importante, cabe ressaltar que a descrição da síndrome do gênio da lâmpada e as possíveis formas de se libertar disso não são um desestímulo à solidariedade, muito pelo contrário. A ideia de desbaratar nossas compulsões e obsessões inconscientes por atender a pedidos alheios é que justamente possamos praticar uma modalidade mais genuína de altruísmo: a compaixão livre, praticada deliberada e intencionalmente, na qual se deseja voluntariamente seguir essa trilha. Em última análise, a "cura" da síndrome do gênio da lâmpada pressupõe a transformação de entrega compulsória em livre, ou seja, a mudança de um *mindset* de benevolência obrigatória e restrita (inconsciente e para um único amo) para outro de compaixão ampla, livre e consciente (voluntária e com menos especificidade para poucos eleitos).

A ideia do gênio mágico que concede três pedidos ao felizardo que o liberta já permeia a cultura mundial globalizada atualmente, estendendo-se muito além da mitologia árabe. Dois filmes *Aladdin* lançados pela Disney, um longa-metragem de animação em 1992 e outro uma película no formato *live-action* musical de 2019, dão conta da magnitude de difusão planetária desse ícone.

Uma enorme gama de outros filmes, seriados, desenhos animados, contos, livros, histórias e músicas já foi produzida com base na imagem mítica do gênio da lâmpada.

Uma das músicas mais populares envolvendo a ideia da garrafa mágica (ao menos na época da minha juventude) foi lançada por Christina Aguilera em 1999: "Genie in a Bottle". Considero digno de nota, no contexto deste livro, o seguinte trecho da música: "... *I feel like I've been locked up tight for a century of lonely nights waiting for someone to release me...*", que, em livre tradução, significa "... sinto como se tivesse sido trancada durante um século de noites solitárias aguardando por alguém para me libertar...".

Complete a seguinte frase: "Pau que nasce torto...". E então? Como continua esse conhecido dito popular? Os desfechos mais comuns são "... nunca se endireita" ou "... morre torto". Trata-se de uma ótima descrição botânica, mas uma péssima metáfora para o cérebro humano. Existem robustas evidências científicas apontando para uma exuberante capacidade adaptativa cerebral de mudar sua estrutura e funcionalidades. O nome técnico mais usado para isso é neuroplasticidade. Vale ressaltar que tal característica de potencial transformativo existe ao longo de toda a nossa vida, em todas as faixas etárias. Assim, pode-se afirmar, sem medo de errar, que pau que nasce torto é planta, amigão, não cérebro humano.

Em seus primórdios, os paradigmas da neurociência carregavam muito desse conceito de um cérebro como algo fixo e rígido após sua constituição física biológica nos primeiros anos de vida. A noção de que, uma vez passada a janela inicial de desenvolvimento, tudo se manteria inalterado ou declinante em nossa cabeça, pairava na mente da maioria dos cientistas tal qual no senso comum popular. Houve, entretanto, uma explosão de estudos, especialmente ao longo dos últimos cinquenta anos, contestando de forma cada vez mais contundente a tal da inflexibilidade do cérebro humano adulto.

Quando alguém se recupera após um derrame cerebral ou um traumatismo craniano, significa que a neuroplasticidade, essa magnífica ferramenta de autotransformação física e funcional disponível ao encéfalo humano, entrou em ação. Mas não é apenas em casos de doenças ou acidentes que esse mecanismo pode ser acionado. Aprendizados, hábitos, comportamentos, experiências, atitudes e uma ampla gama de atividades físicas e intelectuais também são capazes de despertar o potencial neuroplástico em nosso organismo. A partir dessas observações e desses achados, a ciência passou a ampliar o leque conceitual da neuroplasticidade, com suas respectivas potencialidades.

O consenso neurocientífico vem cada vez mais se desprendendo da ideia de um cérebro adulto do tipo "galho de árvore" para um modelo muito mais maleável. As evidências experimentais sugerem que ambiente, aprendizado, hormônios, peptídeos, neurotransmissores, envelhecimento, estresse, doenças, comportamentos, atividade física e uma série de outros fatores podem mudar estruturas e funções neuronais. Tais transformações podem ser processadas sob várias maneiras: alterações na configuração das redes de circuitos dos neurônios e suas respectivas conexões, mudanças morfológicas na estrutura e no tamanho de determinadas áreas cerebrais, transformações neurobioquímicas, na geração de novas células nervosas (a criação de neurônios novos recebe o nome técnico de "neurogênese"), e também em alterações em forma, tamanho e características microscópicas de cada neurônio.

Em termos técnicos, neuroplasticidade pode ser definida como a possibilidade do sistema nervoso de se reorganizar em estrutura, função e conexões, sob variadas influências e estímulos. Há estudos apontando que o estresse está associado a mudanças na estrutura dos dendritos dos neurônios, que são como uma pequena cabeleira que recebe os impulsos eletroquímicos originados de outros neurônios. Experimentos demonstram a associação entre o aprendizado de um segundo idioma e mudanças significativas no aumento de tamanho e no funcionamento de várias regiões do cérebro. A depressão também já foi relacionada em trabalhos diversos com encolhimento anatômico e distúrbio operacional de vários centros neurais.

A neuroplasticidade pode ser de dois tipos: "adaptativa", quando associada ao ganho ou reforço benéfico de alguma função (como ao aprender um segundo idioma ou na recuperação de um derrame); ou "desadaptativa", quando associada com consequências negativas de perda de função ou aumento de lesão (como em situações de estresse ou depressão, por exemplo).

Foi demonstrado recentemente algo inimaginável há poucas décadas: a criação de novos neurônios dentro do cérebro humano adulto (neurogênese). Apesar de tal mecanismo aparentemente não ter muita importância relativa frente a outras formas de neuroplasticidade, ele quebra um antigo dogma em neurociência: o da impossibilidade de substituição após a morte neuronal. Pois é, meu caro: aparentemente ninguém é insubstituível, nem mesmo a massa encefálica de um ser humano adulto.

Sob o pujante e florescente novo paradigma da neuroplasticidade, notamos que o cérebro é, de maneira intrigante, simultaneamente causa e consequência de nossos comportamentos. Se é verdade que ele é fonte das nossas ações, também é igualmente verdade que é modificado e modelado pelos próprios comportamentos produzidos. Esse ciclo dinâmico entre função e estrutura cerebrais está na raiz das bases neurais da cognição, do aprendizado, do desenvolvimento, da flexibilidade e da adaptabilidade. O conceito de que a estrutura cerebral pode ser modificada pela experiência dinâmica abre inúmeras portas de aprimoramento pessoal.

Mas, para destrancar essas portas, há que se portar uma importante chave, chamada flexibilidade cognitiva (que seria o nome técnico para "mente aberta", o contrário de "cabeça-dura"). Assim, caso queiramos, de fato, utilizar as maravilhas da neuroplasticidade a nosso favor, há que se ter mais "cara de pau" e menos "cabeça de pau" — afinal, nossos caminhos de desenvolvimento pessoal necessariamente requerem boas doses de coragem para sair da mesmice.

Sob o ponto de vista neurocientífico, flexibilidade cognitiva é a capacidade de ajuste comportamental de acordo com as mudanças ambientais, possibilitando uma atuação eficaz a partir da descontinuidade de uma tarefa anterior, reconfiguração de um novo padrão de respostas e implementação desse novo modo comportamental para outras tarefas.

Flexibilidade cognitiva foi demonstrada como uma função executiva mental de alto impacto em atividades diversas, ao longo de todas as faixas de idade, tais como: melhora da capacidade de leitura na infância; aumento dos níveis de criatividade e fomento da resiliência contra estresse e eventos negativos em adultos; e promoção de melhor qualidade de vida em idosos. Por outro lado, a falta de flexibilidade cognitiva e comportamental já foi cientificamente implicada em distúrbios clínicos como maior propensão a doenças alimentares e associação com distúrbios fóbicos (medo) e de ansiedade, situações em que o apego a estratégias de ruminação e evitação (negação e fuga) tendem a estar presentes.

Ser mentalmente maleável é uma característica fundamental para qualquer tipo de progresso evolutivo pessoal que alguém queira empreender, como por exemplo deixar de ser subjugado pela síndrome do gênio da lâmpada, destravando todo o potencial neuroplástico disponível no nosso cérebro. Isso envolve, dentre outras coisas, ser flexível o suficiente para se adaptar a diferentes cenários e prioridades, admitir que se está errado e tirar proveito de oportunidades inesperadas em meio ao não planejado e à serendipidade. Outro aspecto crucial é a observação e mudança de perspectivas interpessoais, explorando com profundidade e empatia outros pontos de vista. Mudar a forma de pensar a respeito de determinado conceito, pessoa, assunto ou coisa não é fraqueza, mas, em muitos contextos, sinal de inteligência. Como já é de conhecimento amplo e repetido (ainda que pouco praticado), as soluções mais prósperas geralmente estão "fora da caixa", ou digamos que "fora da lâmpada", para efeito deste livro.

Não é infrequente nos desapontarmos com filhos ou crianças que não aprendem o que queremos ensinar, invariavelmente culpando o pupilo por sua "incapacidade" de aprender. Mas será que isso seria apenas fruto da má vontade dos pequenos? Ou existiria um quê da nossa própria falta de versatilidade nisso? Se não estamos sendo bem-sucedidos em educar de determinada maneira, será que aumentar a intensidade e a repetição do mesmo formato vai levar a algum lugar adequado? Não estaria na hora de acionar nosso potencial de flexibilidade cognitiva para endereçar o problema sob outros ângulos, alternativas e modos diversos?

Um dos quesitos-chave para lidar com nossas agruras é a possibilidade de dar novos sentidos a velhas emoções, algo que tecnicamente é nomeado por reavaliação cognitivo-emocional ou regulação "de cima para baixo" em neurociência. As emoções são combustíveis extremamente poderosos dos nossos comportamentos. Contudo, não precisamos ser meros sujeitos passivos delas, reagindo apenas instintivamente ao sabor das marés do nosso oceano límbico subconsciente de emoções e sentimentos. Temos disponível um razoável arsenal de estratégias para regulação de nossas emoções com possibilidades factíveis de controlar que tipo de emoção sentir, quando senti-la e como experimentá-la, expressá-la e nos comportar conscientemente frente a elas. Experimentalmente, é notória a associação clínica entre dificuldades em aplicar de forma bem-sucedida estratégias de controle emocional a uma série de distúrbios mentais.

Pesquisadores de universidades de renome mundial, como Harvard e Yale, demonstraram de modo bastante evidente que a imensa maioria dos efeitos negativos relacionados a determinados estados emocionais são amplamente dependentes de como tais sintomas são interpretados. Por exemplo, ansiedade e empolgação compartilham os mesmos sintomas físicos de coração acelerado, boca seca, suor frio e tremores. O que parece ser, de fato, importante é como se escolhe interpretar esses sinais. Assim, se você está sobre um palco prestes a dar uma palestra, é perfeitamente normal sentir essas manifestações físicas mesmo para profissionais. Mas o que vai determinar, de fato, o sucesso ou o fracasso da sua apresentação será a leitura íntima que você dará ao seu estado: ansiedade ou empolgação? Se você seguir pelo primeiro caminho, é maior a chance de que sobrevenham pensamentos negativos, falhas e uma sensação subjetiva de fracasso. Mas, se o segundo caminho for tomado, a probabilidade maior é de que ocorram mais fluidez, interação positiva com a plateia e uma percepção de bom trabalho.

"Eu quero um país civilizado (desde que *eu* não precise frear na faixa para dar preferência ao pedestre)."

"Eu quero um país de primeiro mundo (desde que *eu* não tenha que devolver o troco que veio a mais por engano)."

"Eu quero um país moderno (desde que *eu* possa continuar a reclamar da falta de metrô e emplacar o carro em outro estado)."

"Eu quero um país organizado (desde que *eu* esteja liberado a dar carteiradas em portarias)."

"Eu quero um país lindo e maravilhoso (desde que *eu* seja exceção à Lei de Gérson)."

Tendemos talvez, em muitos casos, a ser ácidos críticos do comportamento social do nosso povo e, ao mesmo tempo, idólatras de nações ditas avançadas. É comum vermos reações de luta ou fuga: lutamos contra o mau comportamento dos outros ou fugimos para outros países para encontrar o paraíso terráqueo. Apesar de dotados de cérebros instintivamente modulados para reações de luta ou fuga, essas não são as únicas opções possíveis nesse contexto. Existe uma terceira via (menos popular talvez): a transformação íntima. Um parêntese aqui: pessoalmente não desaprovo em absoluto quem protesta contra malfeitos alheios nem quem decide buscar outra pátria como novo lar; a ideia aqui é sobretudo enfatizar uma alternativa complementar. No lugar de escapar para o "éden estrangeiro" (fuga) ou ficar com os fundilhos pregados reclamando do comportamento coletivo (luta), poderíamos também, quem sabe, passar a dar individualmente o primeiro passo, transformando comportamentos que estejam ao nosso alcance de ser mudados. Continuarei a esperar que todos melhorem à minha volta para só depois melhorar também? Fugirei para um lugar com "gente civilizada" para poder ser "induzido a melhorar" de fora para dentro? "Ah, mas de que adianta só eu mudar e todo mundo continuar fazendo errado em volta?" Adianta muito!!! Só você pode mudar a si mesmo. Só você pode servir de exemplo ao seu próprio meio. Só você pode transformar o que está ao seu alcance ser mudado.

É óbvio que nos é facultado o direito de considerar que ninguém é capaz de se transformar profundamente, mas isso só pode ser feito através de opiniões e crenças pessoais, e não às expensas da ciência, como vimos. Devo alertar, ainda, que a percepção de que "as pessoas nunca mudam" tende a refletir muito mais uma ilusão de inércia projetada sob a mentalidade (rígida) de quem emite tal opinião do que aquilo que a realidade científica tem apontado.

DEIXANDO A LÂMPADA

Mas que sina! Tinha tudo para recomeçar, afinal estava livre da maldição. Como pôde tornar-se novamente refém de tão pesado fardo? Estaria Abdul irremediavelmente predestinado a seguir essa sombria trajetória? Depois de praguejar contra a má sorte, foi arrebatado por uma sensação de profunda tristeza. Mas não era um desânimo conhecido. Já tinha experimentado angústias antes por ter sido aprisionado, mantido sob efeito do encantamento por eras e se frustrado com a frivolidade de inúmeros amos. Não, essa amargura era muito diferente: mais intensa, obscura e enigmática.

Sob o peso da mesma antiga maldição, mas agora com um sentimento soturno ainda pior, Abdul entrou novamente na famigerada ciranda de pedidos fúteis e amos imprudentes. Ora eram solicitações egoístas que resultavam em sofrimento ao alimentar a fera da individualidade, ora pedidos por segurança que culminavam em dor ao aprofundar ainda mais o abismo íntimo da carência, ora petições ilusórias que ultimavam em tragédia ao intensificar ocultações pessoais.

Saindo de sua lâmpada para mais uma jornada, deparou-se com alguém que, desta vez, fez questão absoluta de não lhe pedir nada. Rachid disse que queria apenas conversar, pois ele mesmo já fora um infeliz gênio aprisionado à maldição da lâmpada mágica. Abdul ficou perplexo ao notar que não era o único a padecer sob terrível destino e sentiu alegria e vergonha simultaneamente: esperançoso por vislumbrar uma possibilidade promissora e constrangido por supor erroneamente que sua penúria era inigualável. Os dois conversaram longamente sobre suas respectivas experiências, causos, peripécias e agruras.

Rachid revelou ter sido libertado por amos clementes não apenas uma, mas incríveis três vezes! Mas o mais surpreendente é que ele logo voltou a cair dentro de outra lâmpada mágica em todas as ocasiões. E, cada vez que isso ocorria, uma tristeza mais e mais profunda o abatia, não somente porque se angustiava com a terrível sina, mas especialmente porque foi ficando cada vez mais nítido que seu sofrimento jamais iria findar pelas mãos de um amo, e sim por suas próprias. O que Rachid compreendeu a duras penas foi que a maior de todas as suas aflições não era motivada por castigos alheios ao seu controle, mas por sua própria falta de desejo autêntico de se livrar do sofrimento. Ele depositou todas as esperanças de libertação na história que *sempre ouvira de que só podia quebrar o feitiço quando alguém o solicitasse. A cada retorno a uma nova garrafa mágica, o desgosto aumentava, ele notou, porque faltava, de modo cada vez mais nítido, uma vontade íntima verdadeira de deixar o costumeiro cárcere.*

"Veja, meu caro Abdul, sempre que me indagavam se não queria deixar a lâmpada, eu prontamente respondia que sim. Até quando eu mesmo me fazia essa pergunta, reafirmava que esse era mesmo meu desejo. Mas, na realidade, no fundo do meu íntimo, em algum lugar oculto, isso não era verdade. A lâmpada, o encantamento, a escravidão, os amos e todo o tormento não eram senão consequências de uma incoerência profundamente escondida num lugar que preferi manter às escuras por um tempo incalculavelmente longo. A causa do meu padecimento nunca esteve fora do meu alcance. Descobrir isso foi a pior das dores, mas também a maior de todas as dádivas."

Seria possível lidar de maneira satisfatória com a síndrome do gênio da lâmpada? Sim e não. Enquanto não admitirmos de forma honesta que existe alguma parte de nós mesmos que prefere continuar aprisionada à inércia do interior da lâmpada mágica, qualquer tentativa de libertação será praticamente inútil. Há uma interessante frase de Andy Warhol a esse respeito: "Quando as pessoas estão prontas, elas mudam. Nunca antes disso. Você não pode mudá-las se elas não quiserem, assim como não consegue pará-las quando elas optam pela mudança". Deixar a lâmpada encantada requer muito mais do que uma vontadinha superficial que se exibe para a plateia (enquanto simultaneamente se esconde uma parte de si que prefere continuar onde está). Há que existir um ímpeto de transformação pessoal que envolva todos os átomos do corpo e todas as esferas da alma. Não, caro leitor, não dá para colocar apenas uma pequena parte pra fora e continuar com o resto (que prefere o sofrimento conhecido) dentro. Não existe a possibilidade de molhar os pezinhos, há que se mergulhar de cabeça. Não nos iludamos: não somos apenas os lírios resplandecentes do campo, somos também todo o vale das sombras. Ou assumimos o controle de tudo o que somos, carregando-nos por inteiro para deixar a maldição, ou continuaremos aguardando a miragem de um milagroso resgate externo no dia de São Nunca.

Vou descrever algumas práticas e exercícios com vistas a ajudar aqueles que têm um desejo autêntico de sair da escravidão da síndrome do gênio da lâmpada. Propor formas de lidar com isso não deixa de carregar um certo grau de contrassenso, uma vez que quem se propõe de modo verdadeiro a tal jornada necessariamente encontrará seus próprios instrumentos para tal empreitada. A intenção genuína precede a transformação. Os caminhos a seguir fundamentam-se nos seguintes alicerces: autoestima (ou amor-próprio), gratidão, dessensibilização (não negar nem fugir daquilo que se teme), perdão (aos outros e a si mesmo), autorresponsabilidade (deixar de terceirizar culpas e assumir o protagonismo da própria vida), simbologia (artes e rituais), desapego (de autoenganos e ilusões) e reavaliação cognitivo-emocional autobiográfica. Mas, antes, uma pequena fábula.

Conta-se que, um dia, um grupo de pequenos sapos resolveu empreitar uma corajosa tarefa, jamais conseguida, de chegar ao topo de uma grande árvore. Começaram, incentivados e estimulados por uma plateia de vários animais curiosos em relação àquela ousadia completamente inusitada. Mas, um a um, muitos sapos foram sucumbindo e caindo sem aguentar continuar a escalada. A plateia começou a ficar então cada vez mais descrente e desconfiada. "Imaginem que ideia absurda!" "Nunca conseguirão!" "Impossível!" Os animais passaram, desse modo, a deleitar-se com a queda e o fracasso de cada sapo que sucumbia. Todos foram desabando um após o outro, com a grande torcida contrária e incrédula. Menos um. Depois de um esforço hercúleo e obstinado, um deles finalmente atingiu, a despeito das previsões e expectativas em contrário, o cume da grande árvore. Todos ficaram boquiabertos com o feito e correram para descobrir como o sapinho tinha sido capaz de tal feito incrível. E qual não foi a surpresa de todos os bichos ao constatarem que ele era surdo!

EXERCÍCIOS

1 — **Fotografia**: essa é uma prática que peguei emprestada de um grande amigo filósofo, Luís Gustavo Severiano. Ele nos propõe um exercício muito interessante: colocar uma pequena fotografia pessoal de infância dentro da carteira e, sempre que possível e oportuno, olhar para essa nossa versão mirim com o intuito de cuidar, amar e tratar com afeto e ternura a criança que carregamos dentro de nós. Ofertar outras opções de enxergar e ampará-la, visto que talvez ela tenha sido reprimida em suas demonstrações de alegria (num ambiente em que se primava mais por eficiência e organização do que por felicidade), ou talvez tenha tido que engolir muito choro (numa leitura de que demonstrar emoções pudesse ser interpretado como sinal de fraqueza), ou ainda tenha sido verbal e/ou fisicamente violentada (quer por não se alinhar aos protocolos familiares, quer meramente por

servir como válvula de escape à agressividade e a ira de adultos da convivência), ou, quem sabe, rejeitada, abandonada e excluída (circundada por quem estivesse às voltas com outras prioridades) etc. Independentemente do tamanho ou da duração das intempéries pelas quais tenhamos passado, há sempre a possibilidade de que nós mesmos possamos assumir a responsabilidade de autocuidado, cicatrização e transformação da nossa própria história.

Deixar esse processo de lado tende a resultar em duas respostas igualmente danosas: iludirmo-nos com uma infância perfeita e isenta de dificuldades (algo que corresponde a negação e fuga pouco produtivas) ou que tentemos transferir a "fatura afetiva não paga" por nossos cuidadores na infância para as pessoas de nosso convívio na vida adulta (algo como "já que não recebi o que merecia antes, vou forçar o mundo a me entregar o que não tive"). Assumir a responsabilidade principal pelo cuidado da criança ferida que (todos nós) carregamos na obscuridade do nosso inconsciente é fundamental para o amadurecimento e a construção de amor-próprio.

Minha esposa me recomendou uma ótima adaptação desse exercício. Como hoje poucas pessoas ainda usam carteiras rotineiramente, sua sugestão foi de colocar a fotografia como tela de fundo do aparelho de telefone celular, algo que comumente olhamos dezenas de vezes por dia. Estimo em torno de seis meses um tempo adequado para essa prática.

2 — **Espelho**: não sei quanto a você, mas, até muito pouco tempo atrás, eu tinha seríssimas dificuldades em dizer "eu te amo". Era como se eu fosse perder a língua, os dentes e o rosto com essa frase ou como se minha personalidade fosse ser dinamitada por toneladas de explosivos. Agora, note que, se muitos de nós apresen-

tamos essa trava emocional para expressar sentimentos positivos aos outros, o que dizer então a respeito de amar a si mesmo?

Em geral, miramo-nos no espelho pelo menos duas vezes ao dia: de manhã, ao lavar o rosto depois de acordar e à noite, ao escovar os dentes antes de dormir. Ao se observar no espelho pela primeira vez no dia, diga convictamente a si mesmo seu nome completo seguido por "eu te perdoo" e depois seu nome seguido de "eu te amo". Comigo, por exemplo, fica assim: "Leonardo Lourenço, eu te perdoo" e "Leonardo Lourenço, eu te amo". À noite, repita o processo, mas dessa vez voltado para sua versão criança, usando seu apelido de infância. No meu caso: "Dodico, eu te perdoo" e, na sequência, "Dodico, eu te amo".

Simples, rápido, prático e (na maioria das vezes) indolor. Não carece de muita habilidade, tempo nem preparativos. Sugiro o uso diário por prazo indeterminado.

3 — **Um desenho por dia**: substituir a dependência exclusivamente externa de afeto, carinho e amor por uma fonte adicional interna talvez seja uma das nossas principais tarefas rumo à maturidade. Não nascemos prontos. Quão fofinhos, belos e graciosos são os bebês, não é mesmo? Quando crianças, somos completamente dependentes do cuidado exterior para nossa sobrevivência física, emocional e mental. Não é saudável, contudo, manter-se apegado permanentemente à figura de receptor dependente de uma fonte externa de carinho, afeto e amor por toda a vida. Quão bizarro não é o bebê "pidão" em corpo de adulto? Conquanto procuremos com avidez por fontes exteriores, tendemos a não enxergar o encontro da nossa própria chama interna, capaz de auxiliar sobremaneira a suprir essa percepção de carência.

Carregamos memórias e marcas antigas de exclusão, rejeição e abandono ocorridas durante períodos críticos da infância e da adolescência que apresentam potencial para travar nosso desenvolvimento pessoal. É como se uma sensação de que algo faltou ou não nos foi dado da forma como julgamos que deveria ter sido nos impedisse de encontrar e acender a nossa própria fonte interior. Enquanto essa sensação (inconsciente) perdurar, será deveras difícil nos livrarmos da obsessão por reencontrar, reviver ou substituir uma fonte exterior.

A filosofia e a psicologia costumam tratar esse tema sob o nome de "vazio existencial". Essa sensação surge quando nos desiludimos com uma fonte externa e ainda não percebemos que não será a substituição por outra que preencherá o tal vazio. Isso idealmente é alcançado quando paramos de tentar tapar o "vazio interno" com arremedos impróprios, como barganhando, seduzindo ou implorando atenção alheia; acumulando bens materiais insanamente ou comendo desenfreadamente para tentar amenizar a constante sensação de falta; nos vitimizando na tentativa de atrair piedade alheia e migalhinhas de amor. O caminho do amadurecimento implica encontrar e nutrir uma fonte interior inesgotável, inabalável e autossustentável de Amor. É o que se convencionou chamar de autoconfiança, autoestima e amor-próprio.

Parar de procurar fora o que deve emanar de dentro é fundamental para se ter liberdade. Acender a fonte interna (que alguns chamam de "centelha divina") inesgotável, inabalável e autossustentável é essencial para nossa felicidade. Compartilhar essa felicidade interna (passar de receptor exclusivo a doador universal) com o mundo é Amor (tanto a mim quanto ao outro, quem quer que seja o outro).

Vou propor aqui um exercício mental com vistas a comunicar simbolicamente ao cérebro essa ideia de amadurecimento pessoal. Dado que a primeira fonte externa fundamental mais natural e simbólica é a nossa mãe, utilizaremos a figura materna (especialmente a imagem retida na memória dos nossos primeiros anos) como ícone.

Em um papel, desenhe a si mesmo pequeno (pode ser um desenho simbólico de boneco) vazio por dentro. Ao lado, desenhe a sua mãe grande (pode ser um desenho simbólico dela também). Entre vocês, um sinal de seta unidirecional (grande e grossa) saindo da sua mãe em direção a você. Pronto. Este é o exercício para o primeiro dia. A ideia geral é que a sua própria imagem represente você na infância recebendo amor, carinho, cuidado e afeto (representados pela seta) vindos da sua mãe.

No dia seguinte, em outro papel, refaça o mesmo desenho, com algumas pequenas e sutis alterações: você com o corpo ligeiramente maior e um pequeníssimo ponto dentro de você (para representar o surgimento da fonte interna), sua mãe permanece igual e a seta, que sai dela para você, fica ligeiramente menor. Pronto. Exercício finalizado para o segundo dia.

No outro dia, em outro papel, refaça o desenho, progredindo, de forma bem lenta e gradual, as alterações: você com o corpo e o pontinho interno discretamente maiores. Sua mãe permanece igual e a seta, que sai dela até você, fica um pouco menor que no dia anterior.

Dia após dia, progrida a simbologia transformadora: seu corpo vai crescendo até atingir o tamanho do desenho da sua mãe; a fonte interna vai crescendo (de um microponto inicial até um grande círculo interior); a mãe permanece a mesma por todos os dias; e a seta da sua mãe até você vai diminuindo paulatinamente (dia a dia) até sumir por completo no último desenho.

A ideia é que se tomem muitos e muitos dias (vários desenhos) entre o primeiro e último dia do exercício. Um dia de cada vez, um desenho por dia, de forma manuscrita e não digital. A sucessão progressiva de desenhos tem o intuito de criar um ritual mental de comunicação cerebral. O símbolo subjacente primordial é a transformação da criança (muitas vezes ainda no comando inconsciente de nossa vida) dependente de fontes externas em um adulto maduro que encontra em si mesmo sua fonte interna inesgotável, inabalável e infinita. Cabe frisar que não se trata de uma prática de rejeitar ou recusar o amor maternal, mas de desprogramar um vácuo de carência afetiva que possibilite o fomento do amor-próprio.

4 — **Os três papéis**: qual era a pessoa mais sofrida de seu entorno próximo na infância? Dificilmente deixamos de conviver com alguém, ao menos transitoriamente, amargurado em nossos primeiros anos. Pai, mãe, irmão mais velho, avó, babá, tio? Reflita por um instante e logo saberá quem foi sua primeira grande referência em termos de tristeza. Como vimos anteriormente, não é infrequente tentarmos puxar para nós parte do fardo dessa pessoa, supondo inconscientemente que somos fortes o suficiente para isso e que podemos salvá-la.

Agora, imagine três cenários. No primeiro deles, o dia mais triste de que você se recorda envolvendo aquela pessoa (quanto mais antiga a memória, melhor). No segundo, a recordação do dia mais alegre com ela. Na terceira cena, pense em um dia completamente perfeito da sua própria vida (com ou sem aquela pessoa), real ou imaginário, passado, presente ou futuro. O mais importante é que seja uma cena absolutamente ideal e intensamente contente.

Transcreva o primeiro cenário em uma folha de papel através de desenhos, símbolos, palavras, frases ou objetos. Pode ser sua mãe chorando após o divórcio, seu pai doente numa cama de hospital ou seu irmão sendo agredido. Use fotos, cores, desenhos, figuras, cheiros, perfume e tudo aquilo que possa deixar a cena o mais vivamente representada na folha de papel. O importante é que envolva a pessoa mais infeliz de sua convivência próxima na infância, no dia mais triste dela em sua lembrança.

Transcreva o segundo cenário em outra folha de papel de maneira semelhante ao primeiro, com a mesma pessoa, mas agora na situação mais alegre da qual você se recorde. Pode ser ela gargalhando numa festa, contente numa cerimônia ou relaxando numa rede de descanso sob a sombra de árvores na natureza.

Numa terceira folha, transcreva o último cenário: seu dia potencialmente mais agradável. Pode ser sua festa de casamento, formatura, nascimento de filhos ou netos ou mesmo uma viagem perfeita em família. Não é necessário que tenha de fato acontecido, pode ser um desejo futuro. Use a maior riqueza de símbolos e sinais possível.

Com os três papéis montados, estamos prontos para iniciar o primeiro dia de exercícios. Escolha um horário do dia de sua preferência, em que seja mais prático para realizar a atividade, e idealmente mantenha esse horário diariamente, seja pela manhã ao acordar, após o almoço ou antes de dormir. Coloque o primeiro cenário no chão e posicione-se em pé acima dele, com um pé de cada lado da folha. Sinta o pesado fardo de carregar para si o sofrimento daquela pessoa. Observe como é opressivo assumir para si a ilusão de salvar o outro. Não seria arrogante demais supor que se tenha a função de poder aliviar o fardo alheio? Sinta a carga ostensiva pendendo sobre sua nuca, ombros e costas e como isso traz sentimentos ruins e negativos.

Agora coloque no chão o segundo cenário, ao lado do outro, e posicione-se em cima dessa segunda folha (não precisa pisar nela, basta colocar um pé de cada lado dela), como fez com a primeira. Observe que, apesar de ser uma ocasião alegre, ainda assim trata-se de uma função muito pesada e enganosa a de se supor capaz de ser responsável pela felicidade de alguém. Também não seria soberbo imaginar-se com poder de determinar a felicidade alheia? Sinta o peso negativo dessa ilusão pairando por sobre seu peito e sua cabeça.

Depois disso, ponha no chão o terceiro cenário. Desta vez, coloque-o à frente dos outros dois. Posicione-se acima dessa terceira folha, como feito anteriormente com as outras. Note que, assim, você estará por sobre essa última cena e de costas para as outras duas, ainda no chão. Sinta paz, alegria, calma, felicidade e serenidade dessa posição e como isso traz alívio, descarregando fardos ilusórios. Vire a cabeça para trás e note que o fato de você estar de costas para aqueles outros papéis não significa desmerecimento, abandono nem desprezo pela pessoa presente neles. Representa, isso sim, que você passa a abandonar funções, comportamentos, atitudes e missões ilusórias programadas inconscientemente (como instrumento de defesa). Não é, em absoluto, um desprezo por aquela pessoa, muito pelo contrário. Significa que agora, desapegado de sofrimentos ilusórios desnecessários, você pode se recarregar de si mesmo, reconstruindo um outro *eu* potencialmente muito mais livre, próspero e feliz, capaz de escolher ajudar, cuidar e amar por livre opção (não mais de forma compulsiva e involuntária) a quem se desejar, inclusive a própria pessoa envolvida nesse exercício.

No transcorrer do dia, procure associar todo momento ruim que venha a ocorrer com você (uma briga, uma dor, uma discussão, uma notícia negativa, um atraso etc.) com as sensações ruins experimentadas por sobre aqueles dois primeiros cenários. Depois imagine-se mentalmente passando para o cenário final e buscando trazer de volta aqueles sentimentos muito mais leves e prazerosos vividos na prática do mesmo dia ou do dia anterior.

Sugiro que esse exercício seja feito todos os dias por um período de dois a três meses. Fique livre para refazer a configuração dos desenhos, símbolos e representações das folhas de papel conforme os dias forem passando, mas mantenha a mesma pessoa em pauta ao longo de toda a prática.

5 — **Chaves antes de dormir**: um dos marcos fundamentais que definem profundamente o desenvolvimento de nossa mentalidade é a percepção, quando, ainda durante a formação do nosso cérebro na infância, começamos a nos dar conta de que as pessoas à nossa volta não são perfeitas. Note que a interpretação de defeitos nos outros requer um aparato de comparação, relativismo e julgamento de valor com o qual não nascemos prontos. Trata-se de uma condição que se desenvolve ao longo dos primeiros anos de desenvolvimento cerebral-mental. As primeiras percepções de defeitos, incongruências e imperfeições nas pessoas ao nosso redor, especialmente aquelas de convívio mais íntimo e próximo, marcam indelevelmente a formação de paradigmas e moldes mentais que nos acompanharão vida afora, às vezes definitivamente ou pelo menos até que essas avaliações primordiais sejam reexaminadas intimamente em algum estágio de nossa vida.

Esse é um ponto crucial a entender. Vamos exemplificar. Imagine um adulto que chegue à seguinte conclusão: "Um dia, percebi que meu pai não era perfeito. Ele era agressivo". De maneira automática e inconsciente, o cérebro em formação dessa criança cria um mecanismo particular de defesa para lidar com esse tema incômodo. Talvez venha a louvar a agressividade em sinal de reverência ao pai. Ou talvez passe a aceitar ser agredido com naturalidade. Ou ainda se afaste de qualquer ser humano adulto do sexo masculino por uma generalização adaptativa protetora. A queda do paraíso da imagem desse pai hipotético modela o cérebro em desenvolvimento na infância. A maneira como o tópico agressividade foi embalado nesse caso será uma fundação importante em como lidar com situações futuras relacionadas a esse assunto, quer se esteja consciente disso ou não.

Isso serve para pai, mãe, irmãos, avós, professores, cuidadores, tutores e quem mais tenha tido convivência próxima significativa com o cérebro que se formou na infância. Uma a uma, todas essas pessoas vão "caindo do paraíso", e deixamos de enxergar apenas a perfeição nelas. Cada uma dessas quedas do paraíso estará fortemente associada a uma resposta automática e inconsciente de proteção em relação ao tema negativo em questão. A forma como, por exemplo, o cérebro se adapta para reagir ao sofrimento da mãe pode virar o molde com o qual o futuro adulto passa a lidar com esse tema ao longo da vida. O modo como o cérebro reage para lidar, por exemplo, com o autoritarismo do avô pode se transformar em paradigma para reagir ao tópico autoridade posteriormente.

O exercício mental proposto a seguir tem por base a capacidade do cérebro de se reformar a partir de sua característica de flexibilidade neuroplástica inata. Assim, não é porque determinado tema foi forjado profunda e inconscientemente que o mesmo padrão repetitivo de ação e sentimento resultante deva ser mantido para sempre. Podemos reinterpretar livre e conscientemente o manto de negatividade que encobriu as percepções relacionadas às pessoas de convívio importante na nossa infância.

Antes de dormir (a sequência posterior do sono pode ser de grande valia para sedimentar e organizar a ideia), feche os olhos e visualize atentamente a imagem da sua mãe da infância. Atente-se aos principais defeitos dela. Observe como esses equívocos todos formam um manto obscuro, pesado e negativo. Agora enxergue essa grande nuvem sombria encolhendo progressivamente até se transformar em uma pequena chave cintilante. Com ela, abra a porta. Note o gigantesco mundo de virtudes, bondade e Amor por detrás da porta, infinitamente maior que o pequeno manto obscuro superficial. Perceba a inundação de sensações positivas que podem existir ao ultrapassar a porta, agora aberta pela chave feita a partir da própria condensação negativa. Relaxe e durma.

Na noite seguinte, mentalize atentamente de olhos cerrados a imagem do seu pai da infância. Direcione-se para os principais defeitos dele. Observe como esses equívocos todos formam um manto obscuro, pesado e negativo. Agora enxergue essa grande nuvem sombria diminuindo paulatinamente até se transformar em uma pequena chave brilhante. Com ela, abra a porta. Note o imenso universo de virtudes, bondade e Amor por detrás da porta, muito maior que o pequeno manto obscuro superficial. Sinta a inundação de sensações positivas que podem existir ao passar a porta aberta pela chave feita do próprio manto. Relaxe e durma.

A cada noite, repita o mesmo exercício mental com um personagem diferente de convívio significativo durante sua infância por vez (mãe, pai, irmãos, tios, primos, avós, amigos, professores, vizinhos etc.).

6 — **Sete dias consecutivos sem reclamar**: aqui vai uma prática com um quê de desafio. Trata-se de um exercício mental poderoso, mas um pouquinho difícil de seguir. Não serve para quem gosta de coisa muito fácil, não, porém pode ser bastante útil se feito com dedicação e afinco. Serão sete dias consecutivos e ininterruptos sem reclamar de absolutamente nada (pessoas, fatos, coisas, situações, notícias e muito menos de si mesmo).

O hábito de reclamar recruta milhões de circuitos neuronais que disparam diversos estímulos e neurotransmissores negativos. E isso não é nada bom para a saúde do nosso corpo, cérebro e mente (tampouco para quem convive com pessoas reclamonas).

Passe os próximos sete dias elogiando e mirando somente aspectos positivos e bons das pessoas (incluindo você mesmo!), lugares e coisas. Não é permitido reclamar nem criticar nada! Por mais odioso que seja algo, foque-se apenas na parte boa. Por mais que você tenha razão para protestar, releve e deixe passar. E aqui vai a parte complicada da prática: se por acaso escapar alguma queixa (e acredite, vai acontecer), recomece o exercício zerando o prazo, reiniciando até conseguir atingir sete dias ininterruptos da façanha (não é tão fácil como aparenta).

O hábito de reclamar tende a nos tirar do foco daquilo que está mais ao nosso alcance de melhorar (nosso próprio cérebro) e desperdiçar energia, tempo e dedicação com coisas fora de nosso controle (os outros). A supressão das queixas e lamúrias tira uma das válvulas de escape preferidas do cérebro para não mudar. Nessa situação, idealmente, temos a oportunidade de mirar nossa atenção mais para dentro do que para fora. Podemos, assim, aproveitar para buscar fontes pessoais íntimas de frustrações no lugar de atribuir nossos infortúnios a outrem.

7 — **Cartas inflamáveis**: o exercício seguinte tem potencial para ser altamente explosivo. Já me emocionei enormemente ouvindo relatos de pacientes que o fizeram e retornaram para expressar como essa prática foi um divisor de águas, auxiliando a transformar paradigmas mentais profundamente arraigados (muitas vezes ocultos) que produziam sérias limitações.

Para isso, sugiro que você selecione o cuidador próximo de sua infância com quem era mais difícil o trânsito afetivo (em geral, pai ou mãe). Escreva à mão uma carta para essa pessoa. Use papel e caneta (ou lápis) e evite o digital (computador, celular, tablet etc.). Para efeito desse exercício, a atividade manual tem maior potencial do que a realizada por intermédio digital. É importante destacar que a carta deve ser dirigida àquele personagem tal qual você conviveu *na infância*, e não a essa pessoa na atualidade. Para nosso cérebro, a mãe de hoje e a da infância são duas criaturas diferentes. Assim, pouco importa se ela está agora viva ou morta, longe ou perto, se melhorou muito desde aquela época em que você era criança, tornou-se uma monja e hoje reza em plena paz interior no alto de alguma montanha no Himalaia, se está idêntica ao que sempre foi ou se piorou muito e virou chefe do tráfico internacional de órgãos. Não é à sua mãe de hoje em dia que o exercício se presta, mas sim para aquela personagem tal qual você se recorda da sua infância. Essa imagem resgatada pela memória, diga-se de passagem, habita apenas a sua cabeça, já que se trata de uma interpretação de mãe que só existe dentro do seu encéfalo e no de mais ninguém, uma vez que cada uma das outras pessoas que conviveram com ela durante a mesma época formou uma leitura particular e única (diferente, portanto, da sua). Desse modo, essa prática tem o objetivo de lidar com a impressão (mal digerida e mal guardada, que espero, a esta altura do livro, você já tenha percebido que todos nós temos em relação aos outros) que ficou impregnada em nossa mente durante nossos primeiros anos de vida sobre aquele cuidador próximo, mas com quem a relação não era tão fácil (além de pai ou mãe, pode ser avó, tio chegado, irmã mais velha e outros, desde que seja uma única pessoa escolhida para efeito do exercício).

Divida a carta em três partes. Na primeira delas, descreva o negativo: cenas, acontecimentos e passagens ruins concretas envolvendo essa pessoa. Quanto menor sua idade quando dos ocorridos, maior será a potência da atividade. Seja detalhista, narrando os fatos como numa passagem de filme. Atente-se ao ambiente e à atmosfera e use os cinco sentidos: visão (as imagens), audição (sons, gritos, silêncios, ruídos, frases, palavras), paladar (comidas, bebidas), tato (tapas, agressões, sufocos) e olfato (cheiros, perfumes, aromas). Associe também as emoções e sentimentos envolvidos em cada passagem: angústia, abandono, raiva, vergonha, medo, rejeição etc.

Na segunda parte da carta, descreva o positivo: tudo aquilo pelo que você pode ser grato por ter convivido com aquela pessoa na infância. Relate detalhadamente o que há de próspero na sua vida atualmente por influência dela: aprendizados, realizações, valores etc. Mais uma vez, escreva com minúcias cenas e passagens boas relacionadas a esse indivíduo. Abuse dos cinco sentidos para narrar tais fatos e não se esqueça de correlacionar os sentimentos associados a cada um deles: alegria, aconchego, paz, risadas etc.

Na terceira e mais importante parte da carta, perdoe esse sujeito, da forma mais honesta, profunda e sincera que conseguir. Do mesmo modo que você tem todo um histórico anterior que o leva a ser quem é, eu também tenho essa bagagem e o ente alvo dessa carta também a possui. Dadas as contingências biográficas anteriores, aquela criatura entregou a você o que era possível e estava ao alcance naquela época. Se possível fosse entregar uma versão que pudesse ter lhe agradado e respeitado mais e lhe machucado menos, com certeza ela o teria feito. Aceitar plenamente o que houve, da forma exata como ocorreu, abrindo mão da expectativa daquilo que você gostaria que aquele personagem tivesse sido é fundamental para o processo de perdão autêntico e verdadeiro. Perdoar outra pessoa é fundamentalmente um ato unilateral individual e íntimo de deixar o papel de julgador parcial da realidade contaminada por nossas expectativas e projeções pessoais. Perdoar independe por completo do outro. Trata-se de uma ação solitária na qual se decide deliberadamente libertar o outro de agir (no passado, no presente ou no futuro) apenas da única exata maneira que julgamos ser a apropriada. Note que perdoar alguém não significa, em absoluto, eximi-lo de culpa por atos errados. O que é errado continuará errado. Quem é culpado continuará culpado. Mas há uma distinção importante aqui: perdoa-se a pessoa, e não o ato. Há que se aprender a perdoar o pecador, não o pecado. Manter mágoa, ódio, rancor e ressentimento não torna alguém mais culpado, pois isso está ligado à responsabilidade pelo ato danoso em si e de modo algum vai aumentar a carga de culpa do outro, assim como perdoá-lo não torna correta uma atitude errada perpetrada por outrem.

Ao finalizar a carta, não a entregue ao destinatário. Essa prática diz respeito apenas a você, um exercício seu consigo mesmo e não se presta a tentar "consertar" outra pessoa. A cada um compete sua própria jornada de transformação e evolução. Num ambiente seguro, com cuidado para não se acidentar, coloque fogo nessa carta e preste bastante atenção aos símbolos e ao ritual. A fumaça que se desprende representa a primeira parte da carta, o negativo esvaindo-se e deixando de existir, em especial todas as sensações ruins mal guardadas. O fogo, a luz, a chama simbolizam a gratidão e o positivo da segunda seção, aquilo que há de bom em ter tido a oportunidade de conviver com aquele indivíduo. As cinzas que sobram servem para representar o terceiro setor da carta, o perdão, com as cargas emocionais negativas se desprendendo em definitivo.

Sob o ponto de vista neurocientífico, a primeira parte da carta utiliza-se da técnica de dessensibilização, transformando algo antes percebido como muito nocivo em "menos ruim". Reexperimentar com um cérebro mais maduro, com mais repertório e ferramentas para lidar com situações adversas vividas em condições de maior vulnerabilidade pode nos ajudar a redimensionar o que há de mal digerido dentro de nós. Cria-se, desse modo, a possibilidade de transformar algo que foi arquivado na memória como um grande demônio em um simples capetinha. Assim, milhões de circuitos neurais dedicados a alimentar um mecanismo de defesa contra antigas percepções (com suas respectivas emoções tóxicas) podem ser libertados para outros usos mais positivos, inclusive podendo ser agora ocupados por redes sinápticas ligadas a sentimentos mais prósperos como a gratidão, por exemplo, tema da segunda parte da carta. Mas é, de fato, a terceira seção da prática, o perdão, que tem maior poder de implodir a necessidade de manter enormes áreas do cérebro empenhadas e consumidas em deflagrar pensamentos, emoções e sensações negativas, de utilidade altamente questionável.

O cérebro costuma ser relativamente lento para se reconstruir. Note como em geral são necessários vários meses para alguém se recuperar de um derrame cerebral ou de um acidente com traumatismo craniano. Dificilmente a realização desse exercício uma única vez vai produzir um grande milagre. Por esse motivo, recomendo que ele seja repetido várias vezes (sempre dirigido à mesma pessoa), com uma frequência de quinzenal a mensal e por um período mínimo de seis meses a um ano. Nenhuma carta será exatamente igual à outra (mesmo direcionada ao mesmo "destinatário"). Em cada uma delas, memórias diferentes (antes esquecidas) podem ser lembradas, cenas interpretadas de uma única forma podem ganhar outras cores e tonalidades, acontecimentos antes isolados podem começar a se conectar, e novos sentimentos para velhos fatos podem surgir.

A crença em *jinn* não é mera anedota histórica. Ela habita hoje a cultura de muitas comunidades muçulmanas em diversas partes do mundo, gerando desafios transculturais importantes, especialmente na relação dessas pessoas com outras que não comungam do mesmo tipo de bagagem icônica. Um exemplo desse desafio é o atendimento médico de comunidades islâmicas em países ocidentais de maioria não muçulmana.

Algumas manifestações psiquiátricas e neurológicas, tais como alucinações e convulsões, são interpretadas como causadas por influência de possessões de maus *jinn*, o que torna complexa a interação médico-terapêutica nessas situações. Dores nas costas, ansiedade, depressão, mudanças abruptas de humor, delírios e transtornos de natureza ginecológica ou sexual também já foram relatados por alguns pacientes de origem islâmica como sendo causados por um *jinn*, às vezes pelo mero toque de um deles.

Antes de julgar bizarra essa interpretação, sugiro que você perceba quão ampla e disseminada é a crença humana, nas mais variadas culturas, em influências e seres diversos: fantasmas e almas penadas, alienígenas abdutores, espíritos obsessores, bruxos e feiticeiras, alinhamento de estrelas e corpos celestes, magia negra e mau-olhado, mandingas e simpatias, despachos e amuletos... A lista é interminável.

Crer no metafísico e no sobrenatural é mais a regra do que a exceção, na verdade. Afinal, acreditar ou não em aspectos que transcendam a realidade física objetiva e sua respectiva aleatoriedade é uma questão de gosto pessoal — assim como a escolha de quais são as melhores formas de representar essa crença no imaterial, sejam espíritos, deuses ou *jinn*.

O bizarro talvez não seja exatamente aquilo em que se acredita, mas considerar que a nossa crença pessoal seja a verdade última absoluta e incontestável. O maior dano não provém daquilo em que se crê, e sim do uso de crenças divergentes como desculpa para segregação, isolamento, exclusão e conflito. Quem não suporta a diversidade dos outros dificilmente será capaz de aceitar com tranquilidade as múltiplas partes de si mesmo (passadas, presentes e futuras). Condene o outro ao ostracismo e estará condenando a si mesmo ao sofrimento.

No início deste capítulo, propusemos alguns exercícios baseados em determinados princípios básicos fundamentais. Vamos examinar agora a base científica que os sustenta. Não é demais reforçar que o valor desses princípios suplanta em muito a importância das respectivas técnicas derivadas deles. Os exercícios são sugestões de aplicação prática desses princípios. Hipervalorizar o mecanismo acima do fundamento em que ele se baseia é como ir a um restaurante, pedir o cardápio e comer o papel com a foto do filé à parmegiana no lugar do prato real. Os exercícios e as técnicas são como um cardápio que nos ajuda a atingir valores positivos fundamentais. O delicioso prato em si se constitui dos princípios a partir dos quais os cardápios são feitos (e não o contrário). Acredite, há muita gente por aí comendo cardápio e desvalorizando o prato real.

O *princípio da dessensibilização* envolve a exposição proposital a medos e traumas com o objetivo de diminuir a aversão irracional, desmedida e inconsciente a questões limitantes na vida das pessoas. A aplicação dessa técnica tende a ser muito bem-sucedida no tratamento de várias condições psiquiátricas, como as fobias, por exemplo. A ideia é simples: vamos sendo expostos de forma gradativa e assistida àquilo que mais temermos para que tenhamos a chance de eliminar tal pânico. Assim, o sujeito com pavor de baratas vai sendo exposto à simples imaginação da ideia abstrata do inseto, que posteriormente se torna mais concreta, uma sequência de desenhos e fotos são introduzidos, seguidos de filmes até culminar com o encontro ao vivo com o animal frente a frente. A ideia subjacente é a de que, quanto mais evitamos e fugimos dos nossos medos, mais fortes e poderosos em nos escravizar eles se tornam.

Há robusta evidência científica de que as terapias de exposição são altamente eficazes também no tratamento da síndrome de estresse pós-traumático. Essa ideia baseia-se no princípio do reprocessamento emocional de memórias e envolve a exposição deliberada a estímulos estressantes relacionados ao trauma, que são mantidos até que a ansiedade secundária seja significativamente reduzida. Geralmente, assim como no caso das fobias, ela tem início com exercícios imaginativos a partir de cenas e imagens relacionadas ao trauma e pode progredir até a vivência real de situações que mimetizem ou induzam respostas ansiosas exacerbadas. O objetivo é a extinção de reações emocionais condicionadas ao estímulo traumático. Através do aprendizado progressivo de que nada catastrófico acontecerá durante a exposição gradativa aos estímulos mal guardados, o indivíduo tende a ir experimentando menor ansiedade quando confrontado com os gatilhos relacionados ao trauma e acaba reduzindo ou mesmo eliminando a aversão a situações temidas.

Viktor Frankl, idealizador da logoterapia, cunhou o termo "intenção paradoxal" para se referir ao processo de encorajamento de fazer ou querer que aconteça justamente aquilo que mais tememos. Tal técnica baseia-se na capacidade humana de auto-observação e afastamento para romper círculos viciosos. Encarar nossos piores fantasmas pode nos possibilitar a construção de uma nova atitude, desapegada do sofrimento, podendo até mesmo passar a ser tratada de forma cômica, mais leve e com bom humor. Rir de nós mesmos ou do ridículo das situações em que nos metemos devido ao medo e à ansiedade é um modo poderoso de tratar nossos esqueletos escondidos no armário por meio da "intenção paradoxal". Parafraseando Charlie Chaplin, de perto a vida é uma tragédia, mas de longe ela é uma comédia.

Dessensibilização sistemática, terapia de exposição e intenção paradoxal querem nos transmitir uma mensagem clara: não há como sair da lâmpada sem resgatar as percepções negativas, medos, decepções e sensações mal digeridas que nos empurraram para dentro do feitiço do recipiente mágico.

O *princípio da gratidão* já foi cientificamente correlacionado a vários fenômenos clínicos importantes, tais como: melhora da saúde física e mental, relacionamentos sociais mais positivos, aumento de bem-estar e melhores capacidades de adaptação de personalidade. Seu oposto, a ingratidão, já foi cientificamente correlacionado a uma série de distúrbios psicopatológicos.

Não ser grato aumenta o risco de depressão, ansiedade, fobia, vícios em substâncias (nicotina, álcool e drogas ilícitas), bulimia nervosa e transtorno de estresse pós-traumático. Por outro lado, quem é mais grato tende a ter menores níveis de estresse e melhor qualidade de sono.

Exercícios de escrita baseados na gratidão têm impacto positivo sobre a saúde mental, um fato demonstrado através de estudos controlados randomizados. Isso indica que, além de fazer bem, ser grato não é necessariamente um traço pessoal fixo, mas pode ser treinado e praticado para se tornar uma característica bem-vinda em nossa vida.

Seu corpo lhe foi emprestado. Você não o criou. Honre esse empréstimo cuidando bem dele. Não bastasse isso, sua mente também lhe foi generosamente concedida. Não é uma criação sua. Honre esse presente produzindo bons pensamentos. Além disso, você foi agraciado com uma alma. Não foi você quem a concebeu, mas o controle dela lhe foi gentilmente cedido. Seja grato por essa dádiva, iluminando-a e compartilhando-a com Amor.

Gratidão não é apenas retribuição: não é o *cá* do "toma lá dá cá". Gratidão não é somente reação: não é a *outra* do "uma mão lava a outra". Gratidão tampouco é uma troca condicional: não é o "dar de volta" porque eu "recebi". Essas são formas muito passivas e reativas de entender o sentido de gratidão. Sinto informar, isso tudo é outra coisa. Pode-se chamar de etiqueta, educação, troca, retorno, contraparte ou o que quer que seja, menos gratidão. Gratidão é um estado de prontidão generosa antecipada, sem expectativas, por essência de disposição: ser grato ponto (não "porque" isso, não "se" aquilo, não "quando"...). Ser grato simplesmente pela alegria de sê-lo. Gratidão vem antes, não depois.

No contexto deste livro, um dos maiores sinais de que realmente deixamos a lâmpada mágica é poder olhar para nosso aprisionamento e para todas as pessoas e circunstâncias envolvidas nele com gratidão e não mais com pesar, amargura e sofrimento, entendendo tal confinamento como um processo imprescindível gerador da oportunidade de evolução, sem o qual nosso desenvolvimento não seria possível.

O *princípio da autorresponsabilidade* envolve a ideia de que há sempre algo a ser aprimorado em nós. Por definição, não somos perfeitos. Assim, a realidade nos bombardeia constantemente com avisos, sinais e mensagens apontando para alguma oportunidade interior a ser lapidada, reconstruída e mais bem trabalhada. Um dos maiores vilões a nos afastar desse princípio é despejar a culpa dos nossos problemas em outras pessoas, situações ou circunstâncias fora do nosso alcance.

Em neurociência, existe um termo técnico bastante bem documentado para isso, chamado "viés de autoconveniência" (do inglês *self-serving bias*). Trata-se de uma tendência quase instintiva do cérebro humano em atribuir, de forma desproporcional, sucessos a si mesmo e fracassos a terceiros. Temos uma balança tendenciosa para hiperdimensionar nosso desempenho em resultados positivos e terceirizar para contingências externas os desfechos negativos. Se pedíssemos aos componentes de um grupo que participou de um projeto bem-sucedido para estimar a influência percentual de cada um para o bom resultado geral, obteríamos muito mais que 100% com a soma das estimativas individuais. De forma oposta, se solicitássemos aos participantes de um grupo responsável por um trabalho fracassado para ponderar o peso de cada um para o fiasco, provavelmente a soma total de cada estimativa resultaria em bem menos de 100%.

O viés de autoconveniência é visto por alguns pesquisadores como um possível instrumento cerebral adaptativo humano para defender nossa autoestima. Jogar o lixo para fora e puxar os troféus para dentro parece servir a um propósito automático de proteção do nosso ego — tão automático que transita por circuitos cerebrais habitualmente associados a processos mentais inconscientes e reflexos. Suprimir o viés de autoconveniência requer uma boa dose de esforço, consciência e concentração, como demonstram alguns estudos experimentais.

"Não aguento mais meu marido."

"O problema é o meu filho."

"Estou assim por culpa do meu chefe."

Notemos que a maior parte do "m*eu*" é composto de "eu". É impossível existir um "meu" sem antes existir um "eu". Assim, observemos que, qualquer que seja o problema que envolve o "meu", necessariamente uma parte da contribuição para o atrito vem do "eu". Qualquer problema que envolva algum tipo de relacionamento interpessoal manifesta, por definição, a negatividade dos dois componentes da relação para poder ser mantido. Seria muito improvável supor que um conflito em uma relação interpessoal seja fruto exclusivo de um dos lados. Por lógica, se possível fosse que se debitasse toda a culpa em apenas um dos lados, tal situação jamais poderia ser chamada de relacionamento, já que, por obviedade, é impossível ser incomodado por algo produzido exclusivamente por outro sem uma ponte de relacionamento servindo de caminho para ser atingido pela maldade emanada por outrem. De alguma forma, para ser atingido pela ruindade alheia, necessariamente há algum grau de contribuição individual para a manutenção da ligação.

A maioria de nós, impulsionada pelo viés de autoconveniência, torna-se inconscientemente viciado no jogo da culpa. Mas, se culpa fosse bom, com certeza o mundo estaria salvo. Já notou a quase universalidade da culpa no mundo em que vivemos? É um troço que parece estar em todos os lugares e em lugar nenhum ao mesmo tempo. Quase ninguém quer para si, mas quase todo mundo insiste em enxergar nos outros. Seria como um jogo da batata quente? "Culpa quente, quente, quente, quente, quente... queimou!" (culpa passando de mão em mão rapidamente). Há, sim, aqueles que resolvem captar toda a culpa para si. Esses parecem ser os "fominhas" do jogo. "Dê-me toda culpa cá para mim. *Mea culpa, mea maxima culpa*!" Mas, se culpa fosse bom, transbordaria felicidade da macarronada de domingo na sogra, jorraria felicidade nas reuniões de condomínio e nos bebedouros de empresas. Qual é a sua culpa? Qual é a sua desculpa? Qual é a desculpa do outro? Qual é a culpa do outro? Qual seria a solução para um mundo de culpas próprias ou alheias? Achar o culpado "certo"? Graduar a dose exata de culpa de cada um? Fazemos isso há milênios e a que conclusão chegamos mesmo? Será que não estaríamos alimentando um monstro? Qual a utilidade da culpa? Onde chegaremos ao absorver, distribuir, apontar, empurrar, nutrir, fomentar tanta culpa para tanto lado? Não seria o nosso louvor à culpa uma insanidade?

Tudo bem. Vamos supor que tudo que é negativo na vida tenha vindo por culpa de contingências antigas ou em função de causas e razões alheias à nossa própria vontade. Mas, quer tenhamos sido meras vítimas ou principais culpados pelo que sofremos neste exato momento, precisamos acordar amanhã e escolher continuar sendo guiados pelas mesmas forças de sempre. Ainda assim há que existir a nossa conivência deliberada para manter mais do mesmo.

Autorresponsabilidade implica deixar um pouco de lado a ilusão de que as influências negativas tenham raízes exclusivamente externas e começar a transformar o que é possível em nós mesmos, deixando a passividade automática induzida pelo viés de autoconveniência. Mesmo que se admita a ideia (estapafúrdia) de que nada de ruim que você vive hoje foi culpa sua, que tudo veio de contingências externas fora do seu alcance e que o seu sofrimento é fundamentalmente causado por forças ocultas e inescapáveis, ainda assim você precisa acordar amanhã e escolher permitir continuar a ser marionete do que foi programado ou influenciado a ser.

Nesse ponto, separar os conceitos de culpa e responsabilidade talvez seja útil para o bem da nossa saúde mental. Se você foi xingado ou maltratado, a culpa evidentemente é do agressor. Para lidar com isso, existe o aparato jurídico-policial. Note, porém, que a responsabilidade acerca de como sentir, pensar e agir em relação ao fato negativo que o abate é 100% sua. Delegar essa responsabilidade pessoal íntima a outros ou confundir a culpa (externa) com sua própria (e intransferível) responsabilidade interna de lidar com isso pode ser fonte de intermináveis tormentos. Juntar culpa e responsabilidade como se fossem uma coisa só assemelha-se a jogar fora o bebê com a água da banheira usada para o banho. A culpa ("água suja") até pode ser desprezada e jogada pelo ralo, mas a responsabilidade ("o bebê"), jamais. Sugiro que você abrace firmemente seu bebê: sua responsabilidade interna inalienável de como sentir, pensar e agir a partir de todos os eventos negativos que o afligem ou afligiram.

Suponhamos que eu seja assaltado. A culpa, claro, é do assaltante. Para lidar com a "água suja", dispomos de um aparato social (jurídico-policial). Mas o que faço eu com o meu "bebê"? A responsabilidade íntima de como pensar, sentir e agir a partir desse episódio é de competência exclusiva minha. Mato o ladrão? Espanco, torturo e me vingo do criminoso? Fundo uma ONG antiviolência? Desenvolvo uma síndrome de estresse pós-traumático? Blindo meu carro? Reclamo dos políticos? Não saio mais de casa? Perdoo o meliante?

Note que responsabilidade não é algo passivo, tal como a rotulagem de culpas. Responsabilidade requer, antes de tudo, altas doses de reflexão e autoavaliação. Talvez importe menos o que nos acontece e muito mais o que fazemos com o que nos acontece. Assim, autorresponsabilidade, no contexto deste livro, implica deixar de achar que sairemos milagrosamente da maldição da nossa lâmpada mágica a partir do desejo misericordioso de algum amo benevolente. Isso é uma jornada de libertação que não se caminha terceirizando culpas, mas assumindo o protagonismo da própria vida, que tende a ser mais próspera fora dos limites constritos da lâmpada.

O *princípio do perdão* é, de longe (em minha opinião), o mais transformador dos tratados neste capítulo (sem desmerecer os outros, claro). Há amplo substrato científico, diversas meta-análises, correlacionando a disposição para perdoar os outros e a si mesmo com melhores níveis de saúde física e mental.

Dentre os vários benefícios comprovados por evidência empírica, seguem alguns indicativos. Perdoar diminui a associação entre bullying e doenças mentais em adolescentes. Pessoas menos predispostas a perdoar têm maior tendência para dor crônica e menor tolerância à sensação de dor. Pacientes com pontuação mais alta em escores científicos de medição de perdão tendem a ter menos sintomas físicos, usar menos medicações, ter melhor qualidade de sono e menos fadiga. Maiores níveis de perdão em pacientes coronariopatas (com afecção das artérias coronárias) foram correlacionados a menores níveis de ansiedade, depressão, estresse, colesterol ruim, além de chance reduzida de futuros eventos cardíacos negativos. Perdoar atenua emoções como raiva, remorso e ruminação e serve como anteparo contra ofensas, proporcionando um estado mental mais tranquilo, o qual possibilita melhor qualidade de sono, o que, por sua vez, está associado a melhores índices de saúde geral.

O autoperdão previne a tendência de declínio cognitivo com o envelhecimento. Em outras palavras, perdoar a si mesmo diminui a chance de perda da reserva cognitiva, um estágio premonitório das demências cérebro-degenerativas (como a doença de Alzheimer).

Perdão não é algo positivo apenas para quem já tem uma predisposição natural, mas pode ser treinado, adquirido e desenvolvido. Isso fica nítido a partir dos resultados muito promissores envolvendo terapias e intervenções que estimulam o perdão como instrumento primordial de tratamento. As chamadas terapias de perdão já se mostraram experimentalmente eficazes em reduzir sintomas psiquiátricos em pacientes com transtorno de personalidade *borderline*. Técnicas de perdoar mostraram-se empiricamente eficientes em melhorar isquemia miocárdica (diminuição da oxigenação do músculo do coração) em pacientes com doença arterial coronariana.

Perdão é algo tão fundamental para a cognição humana e para o desenvolvimento de relações sociais mais prósperas e cooperativas que as primeiras manifestações da disposição para desculpar podem ser experimentalmente vistas em crianças de apenas quatro anos.

Perdoar está relacionado a áreas tidas como mais evoluídas do neocórtex cerebral e envolve regiões associadas ao controle cognitivo (inibição de respostas instintivas de retaliação), e à tomada de perspectiva alheia (ou teoria da mente, como vimos antes) e interação social (comportamentos pró-sociais e relacionamentos). Já a vingança, o remorso e a ruminação estão mais amplamente ligados a áreas cerebrais límbicas tidas como mais primitivas sob o ponto de vista neurocientífico evolucionário.

Perdoar não é esquecer. O nome disso é *amnésia*.

Perdoar não é concordar com uma atitude errada. O nome disso é *idiotice*.

Perdoar não é ser conivente com crimes. O nome disso é *cumplicidade*.

Perdoar não é diminuir o outro. O nome disso é *soberba*.

Perdoar não é fingir-se inabalável. O nome disso é *alienação*.

Perdoar não é exigir arrependimento nem mudança. O nome disso é *garantia*.

Perdoar não é virar saco de pancadas. O nome disso é *masoquismo*.

Perdoar é sair do papel de julgador justiceiro parcial, permitindo-se amar e ser amado, sentindo-se, de fato, um com o outro.

Muitas vezes, pelo enorme esforço pessoal, emocional e mental requerido, costumamos nos facultar a prerrogativa de não perdoar, mas qual direito moral teríamos disso? Por acaso somos perfeitos, nunca erramos, não magoamos ninguém, somos a pura bondade encarnada? Óbvio que não! Note que aquele que agride, violenta, xinga, maltrata ou incomoda facilmente se esquece ou minimiza o fato. Trata-se de um mecanismo próprio do cérebro para camuflar e esconder nossas incoerências e proteger nossa identidade. Varremos nossas cagadas para debaixo do tapete mental da consciência, sepultando o malfeito. Lembra-se do viés de autoconveniência que examinamos antes? Mas quem sofre a agressão e é maltratado dificilmente esquece – pelo contrário. Todos os nossos ressentimentos, mágoas e ruminações estão por aí para nos mostrar isso. Somos exímios críticos de erros, crimes, bobagens, violências e cagadas dos outros. Colocamos esses deslizes alheios sob a magnificação de uma lupa potente. Mas será que fazemos o mesmo com os nossos próprios pecados? A minha impressão é que fazemos o oposto. Nossos próprios equívocos são sempre mínimos, irrisórios, bem justificados e compreensíveis, né?!

Como poderíamos requerer o perdão aos nossos próprios malfeitos sem também dispensá-lo aos que nos ofendem? "Ah, mas o que ele fez é muito mais grave..."; "ah, mas eu quase nunca faço nada errado e ele faz toda hora...", e blá-blá-blá. Para praticar o perdão autêntico, há que se desprender desse tipo de interpretação ilusória. É raro alguém atuar deliberada e voluntariamente de maneira hostil e cruel porque gosta e faz absoluta questão disso. O impulso do mal em geral nasce de forma inconsciente, preso de modo involuntário a um modelo mental limitante.

Perdoar não é o mesmo que ser conivente com a injustiça nem aceitar passivamente a maldade do mundo. Perdoar é, antes de tudo, uma atitude ativa e deliberada de transformar uma corrente de negatividade em bondade. Trata-se de um verdadeiro "toque de Midas" mental. Só que, no lugar de transformar objetos em ouro, podemos transformar maldade em bondade, rancor em gentileza, hostilidade em Amor. E, vai por mim, isso vale mais que ouro! Perdoar vem do latim *perdonare*, em que "*per*" significa total ou completo e "*donare*" significa entrega ou doação. Assim, quando perdoamos, damos a plenitude da nossa vida ao transgressor; entregando a totalidade do nosso Amor ao malfeitor.

Por que é tão complicado perdoar o outro? Uma das maiores dificuldades por trás da prática do hábito libertador do perdão ocorre por uma confusão entre duas coisas: costumamos misturar nossa mágoa com a culpa do outro como se fossem o mesmo. Mas, apesar de surgir quase simultaneamente, essa dupla não é igual e, em tese, não deveria ser confundida. A culpa do outro é a culpa do outro. O meu rancor é o meu rancor. Uma coisa é uma coisa, outra coisa é outra coisa. Quando mesclamos os dois conceitos numa maçaroca única, é como se sentíssemos que, ao diminuir nossa mágoa, automaticamente estaríamos também eximindo a culpa do outro. Nesse contexto, extinguir o ressentimento seria o mesmo que inocentar o outro pelo erro. Ninguém quer para si a pecha de juiz que absolve um criminoso. Ninguém quer ser acusado de compactuar com o que é inadequado.

Vamos pensar em um exemplo hipotético: um cara me assalta. A culpa pelo assalto é dele, e a raiva por ter sido assaltado é minha. Aqui, existe a chance de separar o joio do trigo. O meu perdão ao meliante não o inocenta, porque a responsabilidade dele pelo roubo permanece inalterada e absolutamente não depende do meu grau de indignação ou mágoa. Aumentar minha dor não aumenta a responsabilidade do criminoso. Diminuir meu ódio não diminui a culpa do outro. Perdoar o outro não o exime de seus erros. Perdoá-lo não é o mesmo que dizer que sou favorável ao crime, ao assalto, ao ilegal. Ele continuará sujeito às restrições policiais, jurídicas, éticas, sociais e policiais. Ao perdoá-lo, apenas deixo de carregar um sofrimento para além do que seria necessário. A culpa é problema dele, mas a mágoa é problema meu, e os dois são assuntos completamente distintos. A culpa do outro e a minha mágoa costumam aparecer lado a lado como se fossem componentes de uma inseparável dupla sertaneja cujos componentes passamos uma vida inteira vendo se apresentar juntos e afinados. Acostumamo-nos a ver as duas partes como um bloco único e inseparável. Sim, bem sabemos que é difícil enxergar que são dois aspectos diferentes que podem circunstancialmente aparecer juntos, mas que também tem cada qual vida própria independente do outro. Mas difícil não é igual a impossível.

Outro dia, uma pessoa me perguntou como podia ter certeza se tinha realmente perdoado alguém que lhe fez muito mal. Respondi, meio intuitivamente e de bate-pronto (sem nem refletir muito), que, se ela me fazia essa pergunta, é porque existia alguma chance de talvez não ter atingido o grau ideal de perdão. Ao escutar mais detalhadamente o contexto, um ponto me chamou muito a atenção para o que foi dito: "Eu meio que senti a necessidade de que ele se desculpasse e se mostrasse arrependido". Esse ponto crucial me acendeu uma percepção: o perdão, assim como o Amor, é algo incondicional. Se for usado como arma para dar lição de moral ao agressor, não se trata de perdão. Se for usado como instrumento para tentar endireitar o outro através de arrependimento, não se trata de perdão. Se for utilizado como vitrine para mostrar como se é espiritualmente mais evoluído que o vilão, também não se trata de perdão.

Perdão serve para nos libertar, não para mudar o outro.

Perdão serve para nos desprender do poder que demos ao

destino e à energia negativa infligida pelo outro para determinar nossa vida.

Perdão serve para desempoderar o agressor e empoderar a vítima, colocando-os em patamares igualitários, não para criar um novo desnível no sentido oposto.

Responder ao positivo com negativo = ingratidão.

Responder ao negativo com negativo = vingança.

Responder ao positivo com positivo = gratidão.

Responder ao negativo com positivo = perdão.

Se você acha que perdoar é difícil, experimente guardar rancor por anos e anos: é mortal!

Perdoar é trocar chicotes por asas, cadeados por chaves e neblina por claridade. Perdoar não é esquecer nem transformar o errado em certo. Perdão é, acima de tudo, preferir a paz abrangente à pequenez julgadora.

Em relação ao tema desta obra, não há mistério. Dificilmente será possível tratar a síndrome sem perdoar quem nos meteu na lâmpada, os amos inconsequentes e a nós mesmos por permitir sermos aprisionados para dentro do feitiço.

O *princípio do simbolismo* é fundamental para entender como o cérebro processa significados e valores. Nossa vida é entremeada por ícones, liturgias, cerimônias e rituais. Você só consegue entender este livro porque vê risquinhos pretos (que são as letras e palavras) que representam imagens, ideias, pensamentos e narrativas. Está pactuado implicitamente entre mim e você (mesmo que não nos conheçamos pessoalmente) que esses risquinhos pretos representam coisas mais ou menos parecidas e inteligíveis para nós dois. Além dos símbolos mais universais e abrangentes, há aqueles mais particulares e pessoais. E é aí que entram as adaptações individuais próprias de cada história pessoal única.

Uma das práticas terapêuticas em que fica mais patente a interface entre simbolismo e saúde é a arte-terapia, na qual os processos artísticos são fundamentos utilizados para efeito diagnóstico e terapêutico.

Cada lâmpada mágica carrega símbolos gerais e específicos. Compreendê-los é crucial para formular uma jornada única de libertação. Essa última também recheada por simbolismos.

O *princípio do desapego* significa, sob a perspectiva deste livro, deixar o papel de gênio da lâmpada. Uma das mais terríveis *fake news* da história da neurociência é a de que usamos somente 10% do cérebro. Se assim fosse, seria bem fácil: bastaria preencher os 90% vazios com coisas boas e pensamentos positivos que automaticamente nossa vida se transformaria num mar de rosas abobadado por lindos arco-íris adornados por unicórnios alegremente saltitantes. Esqueça. Não é assim que funciona. Isso não implica que seja inadequado procurar desenvolver uma mentalidade positiva e pensamentos mais otimistas, apenas isso não é suficiente.

A natureza não concebeu a estrutura mais complexa de que se tem notícia para deixá-la 90% oca. Isso seria completamente estapafúrdio. O custo energético, anatômico, funcional e biológico envolvido na construção de um dispositivo tão evoluído é tamanho que não há lógica nem comprovação científica alguma que sugira algo tão desprovido de verdade como um encéfalo humano operando com apenas 10% de sua capacidade. Usamos, isso sim, todas as suas partes a todo momento.

O que podemos postular é que existe um amplo contingente de circuitos neuronais recrutados para atividades que nos causam sentimentos negativos, tais como: lutar, fugir, atacar, defender, incorporar o personagem de gênio, produzir comportamentos e hábitos automáticos não escolhidos livremente, e por aí vai. Assim, não basta tentar enfiar um novo circuito cerebral (produtor de um comportamento mais benéfico ou liberto da lâmpada mágica) sem antes nos livrar de um circuito antigo. É justamente essa rede neuronal antiga que deve ser transformada em uma nova. O princípio do desapego emerge bem nesse ponto: abandonar um jeito de ser, sentir e agir não satisfatório.

Queremos que o bom entre sem antes nos desapegar do que é ruim, mas isso é impossível sob o ponto de vista do cérebro. A vida que você tanto sonha não chega esmagando e ocupando o lugar da atual. É o exato oposto disso: você desfaz as partes negativas da sua vida atual para dar espaço para uma vida potencialmente mais próspera e feliz. Nesse aspecto, a ordem dos fatores altera, sim, o produto.

Em processos de transformação mental, há uma ordem importante de precedência a ser observada: primeiro se abandona um jeito de pensar para, aí sim, depois, um modo diverso ser desenvolvido. Não há como o positivo entrar sem antes o negativo sair. O nosso cérebro está, neste exato momento, 100% ocupado com nossa forma atual de ser. Assim, não há mágica ou atalhos, meu caro: de que você vai abrir mão para se transformar em alguém melhor, longe do feitiço da garrafa mágica?

O *princípio da reavaliação cognitivo-emocional autobiográfica* implica a releitura da história pessoal sob novas interpretações. Atualmente, é robusta a evidência científica apontando para a possibilidade de ressignificação de sentimentos relacionados a memórias passadas. Isso é possível graças à influência de "cima para baixo" (do neocórtex em direção ao sistema límbico) dentro do cérebro. Em geral, somos reféns da propagação neuronal de "baixo para cima": das regiões mais primitivas, reativas e inconscientes em direção às áreas mais evoluídas e conscientes do cérebro. Porém a via contrária possibilita que tenhamos melhor controle sobre nossas emoções, comportamentos e, consequentemente, sobre o protagonismo de nossa vida.

Quando alguém sobe ao palco para uma importante apresentação, mesmo um orador experiente, costuma ter sensações físicas comuns de boca seca, coração acelerado, aumento de sudorese (transpiração) e maior dificuldade de controle motor fino (especialmente dos dedos das mãos). A diferença entre uma apresentação magnífica e um fiasco pode ser fruto da interpretação emocional dada àquelas reações físicas. Numa situação de descontrole (em que nos deixamos levar pela via cerebral "de baixo para cima") é frequente que se interprete o estado físico como medo, ansiedade, preocupação ou fraqueza. Já numa situação de melhor controle (em que se opta pela via "de cima para baixo"), é mais provável que se leiam as sensações corporais como entusiasmo, alegria e excitação. Note que são as mesmíssimas manifestações físicas, mas interpretadas sob perspectivas completamente distintas e, portanto, com chances de resultados bastante diversos.

Costumamos usar os termos "emoções" e "sentimentos" quase como sinônimos intercambiáveis. Mas, a rigor, existe uma diferença técnica entre eles, sob o ponto de vista neurocientífico. Emoções representam cascatas fisiológicas deflagradas especialmente nas regiões límbicas cerebrais, mediadas por neurotransmissores, peptídeos e hormônios, com ampla disseminação para o resto do corpo, associadas a algum tipo de vivência. Quando tomamos um susto, por exemplo, nosso coração dispara, a pressão arterial aumenta, os músculos todos reagem de forma automática e incontrolada, nossas pálpebras se levantam etc. Trata-se de um evento instantâneo, automático, reflexo e inconsciente. A emoção se presta neste caso, essencialmente, a mudar por completo o foco e atenção do cérebro e do corpo para nos preparar para uma reação instintiva de luta, fuga ou paralisia, voltada para nossa própria sobrevivência física. As emoções poderiam ser interpretadas, sob o ponto de vista evolucionário, como uma grande ferramenta de adaptação, evolução e sobrevivência das espécies animais. As emoções prazerosas causadas pela alimentação e pelo sexo, por exemplo, estão intimamente ligadas aos mecanismos de sobrevivência e perpetuação das espécies. Em tese, emoções estariam presentes em todo animal com sistema nervoso dotado de um cérebro com estruturas límbicas correlatas.

Já os sentimentos estão muito mais ligados à esfera de natureza interpretativa das emoções. Raiva, medo, angústia, alegria, mágoa, vergonha, bem-estar e muitos outros sentimentos estão mais relacionados a partes mais recentes e evoluídas do cérebro humano: o neocórtex. Para os sentimentos, há que se ter um processamento neuronal mais elaborado, mais consciente, mais prolongado e menos fugaz das vivências. Os sentimentos poderiam ser comparados a filtros, que vão dar as cores e as tonalidades para as emoções relacionadas às nossas experiências. Os sentimentos estão relacionados ao trabalho de processamento de nossas memórias, daquilo que vai ser guardado e do que vai ser descartado e especialmente de como será embrulhada cada uma de nossas experiências para a constituição do nosso filme de memórias associadas à nossa própria história, daquilo que nos define como indivíduos. Assim, para um exato mesmo acontecimento, cada um pode desenvolver sentimentos completamente diferentes em relação ao ocorrido.

Um volume cada vez maior de evidências científicas aponta para uma intensa interconexão funcional entre o neocórtex e o sistema límbico, como as relações entre as estruturas corticais frontobasais mediais e as amígdalas cerebrais. Tais evidências apontam para uma relação de "dupla via" ativa e não apenas para uma relação de "mão única" reativa entre o cérebro neocortical e o cérebro límbico. Assim, trocando em miúdos, isso poderia representar que os sentimentos não seriam meros escravos passivos e automáticos das emoções; ou seja, para além de um simples processamento unidirecional de certas emoções gerando sempre os mesmos sentimentos de forma automática e inercial, parece existir também um grande fluxo modular no sentido contrário: dos sentimentos podendo controlar as emoções. Desse modo, seria possível supor que emoções e sentimentos não seriam construções inevitáveis e unidimensionais relacionadas às nossas vivências. Há argumento para a possibilidade interessante de que, de fato, podemos treinar e educar o cérebro para escolher quais sistemas de sentimentos poderiam ser mais intensamente cultivados para uma modulação real e eficaz das nossas próprias emoções.

Deixados no piloto automático, seremos eternos repetidores de padrões emocionais arraigados já habituais e sedimentados por reforços contínuos em nossos circuitos neurais. Mas isso poderia ser potencialmente liberto se transformarmos os paradigmas mentais associados a padrões de sentimentos antigos em novos padrões através da influência ativa da parte neocortical consciente do cérebro.

Isso é fundamental para a apresentação pública da semana que vem, mas também, de forma ainda mais crucial, para o que ocorreu no passado. Nossas memórias não são tão precisas e confiáveis como supomos. Através de mecanismos emocionais e processos associativos, nossas recordações são muito mais uma miríade de narrativas pessoais com viés emocional do que um relato factual imparcial preciso. Pode ser uma constatação angustiante à primeira vista, mas também potencialmente libertadora. Isso porque a reconstrução da nossa biografia sob uma nova perspectiva e com novas cores pode ser o que, de fato, nos liberta para um futuro mais promissor. Rever o Abdul que nos habita e observar todas as incongruências e falhas de enredo é de suma importância para a cura da síndrome do gênio da lâmpada.

O *princípio do praticar* significa que absolutamente nada do que pensamos, refletimos ou sentimos terá qualquer valor, sentido ou utilidade se não se transformar em um comportamento ou atitude real. Existe todo um universo de sofrimento entre uma teoria bonita e uma prática nunca realizada. Não praticar um princípio, sob o ponto de vista objetivo, é o mesmo que ignorá-lo ou negá-lo. Pensar-se livre mantendo atos de gênio da lâmpada não liberta ninguém.

Para aprender e praticar algo novo, precisamos recrutar áreas conscientes, dispendiosas e relativamente mais lentas do cérebro (especialmente a parte lateral do córtex pré-frontal). Depois de nos habituar com um novo conhecimento ou comportamento, essas regiões vão aos poucos deixando de fazer parte da execução das novas funções aprendidas, que passam a ser processadas em locais relativamente mais inconscientes, automáticos, eficientes e velozes do encéfalo. Quando dirigi hoje o carro de casa até a clínica, pressionei várias vezes os pedais do freio e do acelerador, girei o volante outras tantas e olhei para os espelhos retrovisores em algumas ocasiões. Realizei tudo isso de maneira completamente automatizada sem sequer perceber direito o que fazia. Guiar um automóvel não é novidade para mim: os processos neurais que o sustentam já "desceram" para regiões ligadas a hábitos antigos já dominados. Mas não foi assim quando comecei a aprender a dirigir. Toda a coordenação de atividades envolvidas requereu muito tempo, esforço e energia para ser dominada. Naquela época, era o córtex pré-frontal lateral (consciente, lento e dispendioso) que regia a aquisição da nova habilidade.

Quando você se torna mestre na execução de algo, quase nenhuma atividade de controle cerebral "de cima para baixo" precisa ser realizada, porque isso, na verdade, atrapalharia sua realização fluida e bem-feita. Pensar conscientemente durante uma tarefa que se executa com destreza com frequência atrapalha sua realização. O pensamento e o esforço conscientes são necessários quando da fase de aprendizado, aquisição e aprimoramento da nova prática.

As áreas mais antigas (subcorticais) do cérebro tiveram muito mais tempo de evolução na natureza (milhões de anos mais) para aprimorar seus processos e desenvolver suas funções, quando comparadas às áreas relativamente mais novas (como o córtex pré-frontal lateral), tornando as primeiras muito mais eficientes na execução de suas respectivas tarefas, capazes de um desempenho mais veloz, preciso e com menor gasto energético. Pode-se saber intelectualmente (ao nível do córtex pré-frontal) que não se deve fumar, mas, se esse conhecimento não se aprofundar (passar do neocórtex para as áreas subcorticais), basta um pequeno gatilho de ansiedade em um instante para que o cigarro vá à boca. Há um enorme abismo a ser atravessado entre saber o que se deve ou não fazer em um nível racional e tornar isso parte da nossa essência. Ele só pode ser transposto através de esforço, empenho e prática repetitiva exaustiva. Se você quer se aperfeiçoar e que essa excelência faça parte de sua natureza pessoal, não há pílula milagrosa – apenas fazer, fazer e fazer.

É ótimo ser cristão rezando na missa de domingo. Melhor ainda é ser como Cristo também no trânsito.

É formidável ser judeu durante as celebrações na sinagoga. Melhor ainda é ser como Moisés também nas reuniões de condomínio.

É excelente ser budista meditando no templo ou num retiro. Melhor ainda é ser como Buda também no almoço de domingo na casa da sogra.

Em geral, transformar em atos práticos o que se idealiza como adequado produz um bocado de desconforto inicial. Tudo parece piorar antes de começar a melhorar. É como cutucar uma ferida: dói, machuca e incomoda. Se você está determinado e focado em quebrar a maldição da lâmpada mágica, mas segue por um trajeto em que não encontra dificuldades, barreiras nem resistências, desconfie, porque pode estar simplesmente alimentando ilusões que o afundam cada vez mais no papel de gênio aprisionado. Mudanças pessoais verdadeiras envolvem núcleos muito profundos de nós mesmos. É como manipular uma engrenagem antiga abandonada por muito tempo. Ela está enferrujada, mal lubrificada e cheia de teias de aranha no entorno. No início, movimentar a engrenagem será trabalhoso, vai ranger e não será tudo limpinho nem bonitinho. Mas o resultado vale a pena.

Examinamos alguns princípios básicos que são nortes fundamentais para quem, de fato, intenciona se livrar da maldição e seguir um rumo potencialmente mais livre de desenvolvimento pessoal. Tais princípios podem ser vistos como alicerçados por sobre um terreno que os sustenta: o Amor.

Sofri bastante até perceber que não existe nada além das fronteiras do Amor, apenas ilusões. Não há prática, exercício ou treinamento que possa ultimar algo próspero se não tiver o Amor como embasamento. Já ouvi várias possibilidades de opostos ao Amor: ódio, ego, medo, poder, apego, indiferença etc. Penso que, nesse caso, vale aquela máxima: *quando existem muitas opções para algo, é porque não existe nenhuma*. Todos esses candidatos a opostos do Amor, por mais esforçados que sejam, não passam de ilusões geradas por nossa própria negação à ubiquidade e perenidade do Amor. Eles são como pontos cegos da nossa percepção, que, por razões que a própria razão desconhece, prefere negar a obviedade de amar e ser amado, de dar e receber Amor de forma incondicional. O Amor não desaparece quando o negamos. Quando nos fechamos a ele, produzimos somente ilusão e sofrimento em nós mesmos. Rejeitar o que é não o aniquila, só nos torna prisioneiros de nossa própria cegueira.

Prefiro acreditar que o Amor não tem opostos. A existência de um oposto ao Amor seria admitir a possibilidade de espaço, tempo, circunstância ou compartimento impermeáveis a ele. Um oposto ao Amor seria como acreditar possível tornar real ou materializar um algo de exceção ao Amor.

Um dia alguém me perguntou: "Doutor, percebo que você fala de Amor com certa regularidade. Já entendi que normalmente você não se refere ao amor do tipo romântico, mas a algo mais universal e irrestrito. Sinto ser difícil exercê-lo na prática. O que mais se aproximaria disso seria o amor de mãe?". Respondi que sim, o que costumo denominar Amor (com "A" maiúsculo) é como se fosse um amor de mãe, porém direcionado não apenas aos próprios filhos, mas também para si próprio e para todos os outros (quem quer que sejam os outros).

"Amor incondicional" é um pleonasmo, uma redundância. Se forem necessárias condições, daí já não se trata de Amor. Trata-se de um ato unilateral, não reativo. Amor é uma cachoeira que se despeja sobre os outros sem esperar que a água volte a subir. Transborda e flui. "Se" não rima com Amor. Onde houver "se", não haverá Amor.

Você sabe a diferença entre necessidade e amor? Parece óbvio, não é? Talvez até seja, em especial quando olhamos para os outros. Mas será que sabemos mesmo, por exemplo, quando termina a nossa necessidade de ter filhos e começa nosso Amor por eles? Afinal, ter filhos, apesar de todos os pesares e dificuldades, também nos deixa "bem na fita", não é? Somos vistos como cumpridores das obrigações e expectativas sociais.

Quando olhamos mais para a utilidade de alguém do que para a sua dimensão humana inestimável, invariavelmente estamos tentando mais suprir uma carência nossa do que procurando amar essa pessoa. Assim, vejamos: quando miramos um cônjuge como um objeto sexual, serviçal ou balcão de reclamações, talvez estejamos mais interessados em abrandar alguma carência nossa do que em, de fato, amar esse parceiro; quando vemos um cliente mais como fonte de lucro do que uma oportunidade de servir, estamos mais focados em preencher alguma necessidade nossa do que em amar aquele cliente.

Você poderia argumentar: "Mas e se eu não quiser amar meu cliente? Ou mesmo meu cônjuge...?". Eu responderia que você está em seu pleno direito. O que não é possível é exigir utilidade alheia e querer receber Amor em troca. Esse milagre dificilmente ocorrerá. Veja utilidade nos outros e você tenderá a ser visto como objeto utilitário em contrapartida. Ofereça Amor, e, aí sim, talvez o milagre aconteça!

Carência é uma tentativa vã de preencher uma sensação ilusória de falta. Quanto mais ela tenta sugar, mais afastamento e separação são produzidos. O Amor é o que, de fato, atrai, une e preenche nosso coração e nossa alma.

Não há o que preencha uma sensação de falta. Não é tentando suprir uma carência que ficamos satisfeitos. Isso seria como querer construir um castelo de areia por sobre uma peneira. É muito mais eficaz eliminar o próprio sentimento de carência, vazio e escassez (tirar a peneira da base do castelo). Carência é uma forma de egoísmo que pretende apenas receber ou, no máximo, trocar. E não nos iludamos com o seu oposto, a humilhação, outro tipo de egoísmo disfarçado sob a ilusão de entrega que se recusa a receber.

Amor, num sentido mais amplo e profundo, implica perceber que dar e receber são o mesmo. Sofremos ao achar que podemos receber sem dar, e vice-versa. Mas note que Amor não é troca, não é "toma lá, dá cá", mas fluxo. Estagnar esse fluxo mirando só a ponta receptora ou somente a ponta doadora implica sofrimento. Estagnamos esse fluxo também quando vivemos sob a ditadura da troca: obrigados a dar na mesma medida que recebemos ou vice-versa. Essa é a armadilha de sofrimento em que costumamos cair ao tentar dispor dar e receber em compartimentos separados.

Que aprendamos a viver no fluxo de Amor, sem tentar pará-lo, ocultá-lo, separá-lo ou dividi-lo. Que aprendamos a dar e receber com igual alegria, livremente. Amar é dar e receber simultaneamente, sem fragmentação.

Tão importante quanto amar aos outros é o amor-próprio. Amar a si mesmo não é narcisismo nem autoidolatria. Amor-próprio é descobrir que o "si mesmo" e o "outro" são igualmente relevantes. Até, quiçá, perceber que, no fundo, não há nem si, nem outro.

O cérebro humano apresenta inúmeras construções físicas, anatômicas e funcionais compatíveis com o conceito de Amor ágape. Desde circuitos neuronais próprios para forças gregárias de socialização, passando pelo processo de teoria da mente (ou mentalização) e pelos neurônios-espelho até estudos demonstrando as bases de empatia, compaixão e altruísmo no cérebro, as evidências apontam para o potencial neural humano de desenvolvimento de forças de solidariedade, gentileza e Amor em detrimento das de egocentrismo, psicopatia e conflito.

Passei quarenta anos "exercendo meu direito" de sofrer: supunha a mim mesmo como uma ilha apartada do resto, num mundo imaginado em que meu apego ao sofrimento era algo plenamente justificável sob minhas circunstâncias de vida. Mas note que todos os dias pode-se escolher culpar ou perdoar; segregar ou amar; controlar ou desapegar; atacar ou acolher; defender ou pacificar. As boas escolhas geram tranquilidade à alma, e as más agridem o coração, mesmo quando fingimos ignorar nosso próprio mal-estar.

Assim como meu sofrimento não era mera imposição inevitável do destino, minhas profundas transformações mentais pessoais íntimas subsequentes não caíram magicamente do céu no meu colo. Recebemos o dom da escolha, que nos foi confiado mesmo que insistamos em escolher de forma inadequada dia após dia, após dia e após dia. Ainda assim, sempre estará lá o bendito livre-arbítrio a aguardar, em sua paciência infinita, que abdiquemos da ilusão de que podemos tocar tudo no piloto automático esperando que o mundo ou o tempo nos tragam boas coisas mesmo em face de más escolhas reiteradas.

Lembro cristalinamente do primeiro dia (não muito tempo atrás) em que conscientemente decidi escolher o perdão à culpa:

a sensação libertadora foi de tal magnitude feliz, plena e serena que, de algum modo, eu soube que começava a tomar um rumo de evolução e transformação sem volta, sem arrependimentos. Agradeço demais a todos os que estiveram ao meu lado mesmo quando o meu apego ao sofrer era intenso e sistemático. Enxergar a pessoa atrás do sofrimento é puro Amor. Não posso deixar também de agradecer a todos que, mesmo respeitando meu direito ao apego ao sofrimento, foram gradativamente me ensinando, direta ou indiretamente, que essa nunca é uma escolha sadia. Ensinar isso de forma respeitosa e tolerante é pura sabedoria.

É surreal a força do Amor. Eu já desejei o mal pra tanta gente e com tamanha intensidade que seria quase impossível estar onde estou sem a benevolência incondicional do Amor. Foi justamente essa força compassiva sutil (mas milagrosa) que ajudou a me curar e evoluir, mesmo quando estive completamente de costas para ela. Não há gratidão humana individual capaz de honrar o benefício da dádiva desse exército (quase invisível) de pessoas que, mesmo contra a lógica, preferiram retribuir meu rancor com Amor. Ainda assim, do alto da minha pequenez, expresso meu agradecimento a vocês: muito obrigado!

POSFÁCIO: FISSURAS NA LÂMPADA

Um dos pedidos mais bem-sucedidos de que se tem notícia é aquele que Salomão fez a Deus. Se você (como eu) tem um pouco de alergia ou dificuldade com assuntos religiosos, fique à vontade para não ler o que se segue. O livro em si, na verdade, já terminou no capítulo anterior.

Salomão solicitou algo insólito: sabedoria.

Se definirmos informação como qualquer sinal sensorial que recebemos, conhecimento como o que refletimos sobre esses sinais e sabedoria como a prática correta a partir do conhecimento adquirido, temos que a primeira está ligada ao sentir, o segundo ao pensar e a terceira ao agir.

Na minha prática profissional, a medicina, torna-se nítida a importância de saber evoluir nessa escala em que cada patamar é fundamental (informação, conhecimento e sabedoria), mas há um que sobressai nitidamente como mais relevante: a sabedoria.

Qual tipo de médico você costuma procurar? Quando alguém agenda uma consulta, nem sempre está buscando só um médico. Há quem, muitas vezes sem perceber, procure um "pai" na figura do médico: alguém que possa, através da autoridade, defender e proteger o paciente ("filho"). Há quem procure uma "mãe": alguém que possa, através da empatia e da compaixão, acolher e confortar o paciente ("filho"). Há quem procure um "reforçador de crenças": alguém que possa, através de confirmação, dar argumento, suporte e reforço ao sistema rígido de crenças do paciente ("crente convicto"). Há também quem procure um "curandeiro-milagreiro": alguém que possa, através de poderes sobrenaturais, aniquilar problemas e doenças sem que seja necessária nenhuma mínima mudança pessoal por parte do paciente ("adorador-seguidor").

Há muitos outros papéis que podem ser ocultamente trazidos para o palco da relação médico-paciente. Observemos que não é somente por parte de pacientes que se projetam expectativas inconscientes por sobre os médicos. O inverso também é verdadeiro: médicos projetam suas próprias expectativas ocultas por sobre os pacientes. Há médicos "pais e mães" que preferem pacientes "filhos". Há médicos "amorfos" que preferem nunca contrariar pacientes "vítimas". Há médicos "heróis" que preferem constituir um séquito de pacientes "fãs".

Naturalmente, tanto médicos quanto pacientes não necessariamente fixam-se de modo permanente em apenas um desses papéis. A depender de circunstâncias diversas, o mesmo médico ou o mesmo paciente podem transitar em diferentes papéis. Notemos também que nenhum desses papéis é bom ou ruim em si mesmo; dependendo da ocasião, cada um pode ter seu mérito. O que talvez seja deletério, isso sim, é ignorar que tais papéis invariavelmente emergem ou afloram neste contexto da relação médico-paciente. Fingir que não existe projeção de papéis alternativos do paciente para o médico e vice-versa pode ser fonte de turbulências potencialmente prejudiciais nessa relação.

Há um papel do médico, contudo, que jamais deve ser deixado de lado: o de "doutor". A denominação "doutor", aqui, não está ligada ao título acadêmico de quem tem doutorado universitário. O conceito de universidade surgiu durante a Idade Média, e o termo "doutor" para médicos é bem mais antigo que isso, remontando à palavra latina *docere* nos idos do Império Romano. E *docere* está ligado ao conceito de docente ou professor. Assim, o "doutor" médico seria aquele que ensina como ter uma vida saudável. E como se promove o ensino da saúde aos pacientes? Há basicamente três veículos fundamentais para tentar ensinar algo a alguém: informação, conhecimento ou sabedoria.

Por séculos, o médico foi o portador da informação que potencialmente era geradora de saúde. Era aquele indivíduo detentor da informação privilegiada valiosa (quase mística) que podia levar saúde aos doentes. Os tempos mudaram, o mundo mudou, e a informação foi deixando de ser propriedade privada de alguns poucos privilegiados e se tornando uma espécie de *commodity* ao alcance de todos. A informação médica passou, com o tempo, a ser sistematicamente organizada e protocolada através de centros e instituições especializadas no assunto (faculdades, hospitais, congressos, associações, conselhos etc.). A "informação" médica começava a mudar de patamar, então, para gerar conhecimento médico técnico, teórico e científico. De propriedade individual, passou a ser transformada em conhecimento, agora sob a chancela de grupos institucionalizados. Informação apenas não bastava, o médico agora precisava também ter o conhecimento regularmente aceito pelo grupo de especialistas referenciais. A transformação do médico "informado" autônomo em médico "conhecedor" institucionalizado foi intensa durante os séculos XIX e XX.

Eu pessoalmente entrei na faculdade médica interessado pela ciência do conhecimento médico, mas, admito, também muito seduzido pela ainda presente "aura" de autoridade do médico autônomo romântico de antigamente. Nos meus idos de faculdade, a preocupação geral dos professores parecia estar centrada no conhecimento. A transformação de informação (antiga e individualizada) em conhecimento (teórico e replicável) já parecia bastante consolidada e sólida àquela altura. A preocupação dos professores estava especialmente focada no grau de atualização do conhecimento. A reciclagem de antigas verdades em novos paradigmas parecia acelerar a um ritmo cada vez mais frenético. Era muito comum eu ouvir a máxima de que, "a cada cinco anos, metade de todo o conhecimento da medicina torna-se obsoleto". Era-me mostrado algo como a liquidez fluida e altamente mutante do corpo de conhecimentos médicos, que crescia e evoluía exponencialmente.

Navegava eu, assim, na minha atuação profissional nos anos iniciais da prática médica em mares de informação e conhecimento, ora em águas tempestuosas e tormentosas, ora em águas calmas e tranquilas. Mas nem todo um mundaréu de informação nem todo um oceano de conhecimento técnico-científico pareciam suficientes para que a função *docere* ("doutor") da minha profissão fosse eficaz em, de fato, promover saúde em um nível suficientemente profundo e consistente.

A terceira forma de ensinar, além da informação e do conhecimento, é a sabedoria. Pode-se ensinar alguém através do convencimento pela informação. Pode-se ensinar alguém através da argumentação embasada no conhecimento. Já a sabedoria vale-se de outras formas para inspirar: exemplo, experiência prática e história pessoal. O sábio torna-se o exemplo inspirador aos outros. O professor sábio torna sua própria história pessoal material de estudo de seus alunos. O médico sábio torna sua própria vida exemplo de inspiração para os pacientes. É certo que não existe sabedoria sem informação nem conhecimento. Mas nem toda informação e todo conhecimento da galáxia viram, sozinhos, sabedoria sem um veículo humano que ponha isso em prática. Sabedoria é conhecimento em movimento. Sabedoria é ser na prática o que é bonito em teoria.

É certo que existiram médicos sábios em todas as eras. A sabedoria depende muito mais da prática de *ser o que se ensina* do que da quantidade total de informação ou conhecimento disponível. Qual seria então o médico mais capacitado em curar? Aquele que está muito bem informado acerca dos mecanismos de cura? Aquele que conhece todas as técnicas de cura? Ou seria aquele que, além de informado e conhecedor, cura-se a si mesmo para compartilhar a cura?

Vivemos num oceano revolto de informações e conhecimentos, mas poucos parecem agarrar-se às ilhas paradisíacas da sabedoria. Google é informação. A nossa mente produz conhecimento. Tal conhecimento pode ser superficial ou profundo, consciente ou inconsciente, organizado ou disperso. Contudo, a sabedoria parece estar não somente no que captamos do exterior nem em nosso cérebro, mas na harmonia de todo o nosso corpo, no equilíbrio entre o sentir, pensar e, especialmente, no agir e viver de forma significativamente correta para nós mesmos. Talvez sabedoria seja o alinhamento dinâmico da informação, do conhecimento e da prática.

Já divaguei em demasia. Voltemos agora a Salomão, personagem de destaque nos textos sagrados de três grandes religiões monoteístas: judaísmo, cristianismo e islamismo.

No antigo testamento da Bíblia, mais especificamente no primeiro Livro dos Reis e no segundo Livro de Crônicas, relata-se que, no início do reinado de Salomão, quando ainda jovem, Deus apareceu em sonho à noite e concedeu-lhe atender a um pedido. Salomão solicitou, então, sabedoria para escutar com o coração e discernimento para governar. E assim foi feito. Mesmo não tendo solicitado vida longa, fortuna, fama ou a destruição dos seus inimigos, Deus decidiu conceder-lhe tais coisas, dadas a nobreza e a humildade de seu pedido, bem como a riqueza e a glória.

No Alcorão, Deus concede a Salomão a capacidade de compreender a conversa entre as formigas, o poder de controlar a força dos ventos, além de dispor como desejasse dos serviços dos *jinn* para auxiliá-lo na prospecção de materiais (inclusive sob as águas) e na construção de utensílios, peças, monumentos e templos. O texto sagrado muçulmano destaca que, mesmo dispondo de tamanhos poderes e capacidades, Salomão não se vangloriava e mantinha sua humildade, configurando-se um líder que dispunha de sua sabedoria para servir, e não para proveito próprio.

Será que você realmente sabe o que quer? Será que eu, de fato, sei o que desejo? Será que as pessoas que nos solicitam sabem mesmo o que buscam? Sabemos o que queremos ou simplesmente queremos o que sabemos?

REFERÊNCIAS BIBLIOGRÁFICAS

ABBING, A. et al. The Effectiveness of Art Therapy For Anxiety in Adults: A Systematic Review of Randomised and Non-Randomised Controlled Trials. *PLoS One*. 2018, 13(12):e0208716.

ADDIS, D. R. et al. Characterizing Cerebellar Activity During Autobiographical Memory Retrieval: ALE and Functional Connectivity Investigations. *Neuropsychologia*. Sept. 2016, 90:80-93.

ALADDIN. Direção: John Musker e Ron Clements. Produção: Walt Disney Feature Animations. Distribuição: Walt Disney Pictures, 1992.

ALADDIN. Direção: Guy Ritchie. Produção: Walt Disney Pictures. Distribuição: Walt Disney Pictures, 2019.

ALDERMAN, B. L.; OLSON, R. L.; BRUSH, C. J.; SHORS, T. J. MAP Training: Combining Meditation and Aerobic Exercise Reduces Depression and Rumination While Enhancing Synchronized Brain Activity. *Transl Psychiatry*. 2016, 6(2):e726.

APPERLY, I.A. What Is "Theory Of Mind"? Concepts, Cognitive Processes and Individual Differences. *Q J Exp Psychol (Hove)*. 2012, 65(5):825-839.

ARAUJO, H. F.; KAPLAN, J.; DAMASIO, H.; DAMASIO, A. Involvement of Cortical Midline Structures in the Processing of Autobiographical Information. *PeerJ*. Jul. 2014.

_____. Neural Correlates of Different Self Domains. *Brain Behav*. Oct. 2015.

ARIELY, D. *Positivamente irracional*. São Paulo: Campus Elsevier, 2010.

ARVADA, T. *On the Nature of the Jinn.* Edição do autor, 2016.

ATAOGLU, A.; OZCETIN, A.; ICMELI, C.; OZBULUT, O. Paradoxical Therapy in Conversion Reaction. *J Korean Med Sci.* 2003, 18(4):581-584.

ATZIL, S.; GAO, W.; FRADKIN, I.; BARRETT, L. F. Growing a Social Brain. *Nat Hum Behav.* Sept. 2018, 2(9):624-636.

BATTEUX, E.; FERGUSON, E.; TUNNEY, R. J. Risk Preferences in Surrogate Decision Making. *Exp Psychol.* Jul. 2017, 64(4):290-297.

BENEDETTI, F. Placebo-Induced Improvements: How Therapeutic Rituals Affect the Patient's Brain. *J Acupunct Meridian Stud.* Jun. 2012, 5(3):97-103.

BÍBLIA sagrada. Tradução oficial da Conferência Nacional dos Bispos do Brasil. 2. ed. Brasília: Edições CNBB, 2019.

BIGLER, R. S.; JONES, L. C.; LOBLINER, D. B. Social Categorization And The Formation of Intergroup Attitudes in Children. *Child Dev.* 1997, 68(3):530-543.

BIGLER, R. S.; LIBEN, L. S. Developmental Intergroup Theory: Explaining and Reducing Children's Social Stereotyping and Prejudice. *Current Directions in Psychological Science.* 2007, 16(3):162–166.

BILLINGSLEY, J.; LOSIN, E. A. R. The Neural Systems of Forgiveness: An Evolutionary Psychological Perspective. *Front Psychol.* 2017, 8:737.

BLACKWOOD, N. J. et al. Self-responsibility and The Self-Serving Bias: An Fmri Investigation of Causal Attributions. *Neuroimage.* 2003, 20(2):1076-1085.

BOISSEAU, C. L.; GARNAAT, S. L. Introduction to the Special Issue on Cognitive and Behavioral Flexibility in Fear and Anxiety Disorders. *Behav Modif.* 2018, 42(6):811-814.

BOYKE, J. et al. Training-Induced Brain Structure Changes in the Elderly. *J Neurosci.* 2008, 28(28):7031-7035.

BRAVATA, D. M. et al. Prevalence, Predictors, and Treatment of Impostor Syndrome: a Systematic Review. *J Gen Intern Med.* 2020, 35(4):1252-1275.

BROOKS, A. W. Get Excited: Reappraising Pre-Performance Anxiety as Excitement. *J Exp Psychol Gen.* 2014, 143(3):1144-1158.

BUCKNER, R. L.; CARROLL, D. C. Self-Projection and the Brain. *Trends Cogn Sci.* Feb. 2007, 11(2):49-57.

CAMPBELL, J.; MOYERS, B. *O poder do mito*. São Paulo: Palas Athena Editora, 1990.

CASEY, B. J.; GIEDD, J. N.; THOMAS, K. M. Structural and Functional Brain Development and Its Relation to Cognitive Development. *Biol Psychol.* Oct. 2000, 54(1-3):241-57.

CASTRÉN, E.; HEN, R. Neuronal Plasticity and Antidepressant Actions. *Trends Neurosci.* 2013, 36(5):259-267.

CHABRIS, C.; SIMONS, D. *O gorila invisível e outros equívocos da intuição*. Rio de Janeiro: Rocco, 2011.

CHIANG, M.; REID-VARLEY, W. B.; FAN X. Creative Art Therapy for Mental Illness. *Psychiatry Res.* 2019, 275:129-136.

CHOY, Y.; FYER, A. J.; LIPSITZ, J. D. Treatment of Specific Phobia In Adults. *Clin Psychol Rev.* 2007, 27(3):266-286.

CLARK, A. Whatever Next? Predictive Brains, Situated Agents, and the Future of Cognitive Science. *Behav Brain Sci.* Jun. 2013, 36(3):181-204.

CONWAY, M. Memory and the Self. *Journal of Memory and Language*. 2005, *53*(4), 594-628.

CORNELIUS, J. T. The Hippocampus Facilitates Integration Within a Symbolic Field. *Int J Psychoanal.* Oct. 2017, 98(5):1333-1357.

COVEY, S. R. *Os sete hábitos das pessoas altamente eficazes*. 2. ed. revista e ampliada. São Paulo: Editora Best Seller, 1989.

CRAMER, S. C. et al. Harnessing Neuroplasticity for Clinical Applications. *Brain.* 2011, 134(Pt. 6):1591-1609.

CRAWFORD, W. S.; SHANINE, K. K.; WHITMAN, M. V.; KACMAR, K. M. Examining the Impostor Phenomenon and Work-Family Conflict. *J Manag Psychol.* 2016, 31(2):375-90.

CRONE, E. A.; ELZINGA, B. M. Changing Brains: How Longitudinal Functional Magnetic Resonance Imaging Studies Can Inform Us About Cognitive and Social-Affective Growth Trajectories. *Wiley Interdiscip Rev Cogn Sci.* Jan.-Feb. 2015, 6(1):53-63.

CRUM, A. J.; SALOVEY P.; ACHOR, S. Rethinking Stress: the Role of Mindsets in Determining the Stress Response. *J Pers Soc Psychol.* 2013, 104(4):716-733.

CUNHA, L. F.; PELLANDA, L. C.; REPPOLD, C. T. Positive Psychology and Gratitude Interventions: A Randomized Clinical Trial. *Front Psychol.* 2019, 10:584.

CUSACK, K. et al. Psychological Treatments for Adults With Posttraumatic Stress Disorder: a Systematic Review and Meta-Analysis. *Clin Psychol Rev*. 2016, 43:128-141.

D'ARGEMBEAU, A. et al. Brains Creating Stories of Selves: The Neural Basis of Autobiographical Reasoning. *Soc Cogn Affect Neurosci*. 9(5):646-52.

D'ARGEMBEAU, A. et al. Distinct Regions of the Medial Prefrontal Cortex Are Associated With Self-Referential Processing and Perspective Taking. *J Cogn Neurosci*. Jun. 2007, 19(6):935-44.

DAJANI, D. R.; UDDIN, L. Q. Demystifying Cognitive Flexibility: Implications for Clinical and Developmental Neuroscience. *Trends Neurosci*. 2015, 38(9):571-578.

DE SANTI, A.; LISBOA, S.; GARATTONI, B. 7 Mistérios do cérebro – e as respostas da ciência para eles. *Revista Superinteressante Online*. Disponível em: https://super.abril.com.br/especiais/7-misterios-do-cerebro-e-as-respostas-da-ciencia-para-eles/. Acesso em: 21 fev. 2019.

DÉGEILH, F. et al. Neural Correlates of Self and Its Interaction With Memory in Healthy Adolescents. *Child Dev*. Nov.-Dec. 2015, 86(6):1966-83.

DELOACHE, J. S. Becoming Symbol-Minded. *Trends Cogn Sci*. 2004, 8(2):66-70.

DEWALL, C. N.; DECKMAN, T.; PONDER, R. S. Jr.; BONSER I. Belongingness As a Core Personality Trait: How Social Exclusion Influences Social Functioning and Personality Expression. *J Pers*. Dec. 2011, 79(6):1281-314.

DIAMOND, A. Executive Functions. *Annu Rev Psychol*. 2013, 64:135-168.

DIVERTIDA mente. Direção: Pete Docter. Produção: Pixar Animation Studios. Distribuição: Walt Disney Pictures, 2015.

DOIDGE, N. *O cérebro que se transforma*. Rio de Janeiro: Record, 2011.

_____. *O cérebro que cura*. Rio de Janeiro: Record, 2016.

DURSTON, S. et al. A Shift From Diffuse to Focal Cortical Activity With Development. *Dev Sci*. Jan. 2006, 9(1):1-8.

DWECK, C. S. *Mindset, a nova psicologia do sucesso*. São Paulo: Objetiva, 2019.

EISENBERGER, N. I.; LIEBERMAN, M. D. Why Rejection Hurts: A Common Neural Alarm System for Physical And Social Pain. *Trends Cogn Sci*. Jul. 2004, 8(7):294-300.

EISENBERGER, N. I.; LIEBERMAN, M. D.; WILLAMS, K. D. Does Rejection Hurt? An FMRI Study of Social Exclusion. *Science*. Out., 2003, 302(5643):290-2.

EL-ZEIN, A. *Islam, Arabs, and the Intelligent World of the Jinn*. Syracuse: Syracuse Univesity Press, 2009.

EXPLICANDO a mente. Produção: Vox Media. Distribuição: Netflix, 2019.

FALK, E. B.; BASSETT, D. S. Brain and Social Networks: Fundamental Building Blocks of Human Experience. *Trends Cogn Sci*. Sept. 2017, 21(9):674-690.

FENG, C.; YAN, X.; HUANG, W.; HANS, Y. Neural Representations of The Multidimensional Self in The Cortical Midline Structures. *Neuroimage*. 2018, 183:291-299.

FISHER, M.; KEIL, F. C. The Binary Bias: A Systematic Distortion in the Integration of Information. *Psychol Sci*. 2018, 29(11):1846-1858.

FISHER, M.; NEWMAN, G. E.; DHAR, R. Seeing Stars: How The Binary Bias Distorts the Interpretation of Customer Ratings. *Journal of Consumer Research*. 2018, 45, 471–489.

FLEMING, S. M.; MALONEY, L. T.; DAW, N. D. The irrationality of Categorical Perception. *J Neurosci*. 2013, 33(49):19060-19070.

FOURIE, M. M.; HORTENSIUS, R.; DECETY, J. Parsing the Components of Forgiveness: Psychological and Neural Mechanisms. *Neurosci Biobehav Rev*. 2020, 112:437-451.

FRANKL, V. E. *Em busca de sentido*. 48. ed. São Paulo: Vozes, 2019.

FRIEDBERG, J. P.; SUCHDAY, S.; SRINIVAS, V.S. Relationship Between Forgiveness and Psychological and Physiological Indices in Cardiac Patients. *Int J Behav Med*. 2009, 16(3):205-211.

FRY, S. *Mythos: as melhores histórias de heróis, deuses e titãs*. São Paulo: Planeta, 2018.

FUCHS, E.; FLÜGGE, G. Adult Neuroplasticity: More Than 40 Years of Research. *Neural Plast*. 2014, 2014:541870.

FUGATE, J. M. Categorical Perception for Emotional Faces. *Emot Rev*. 2013, 5(1):84-89.

GERSHMAN, S. J.; GERSTENBERG, T.; BAKER, C. L.; CUSHAMN, F.A. Plans, Habits, and Theory of Mind. *PLoS One*. 2016, 11(9):e0162246.

GOFFIN, K. C.; KOCHANSKA, G.; YOON, J. E. Children's Theory of Mind As a Mechanism Linking Parents' Mind-Mindedness In Infancy With Children's Conscience. *J Exp Child Psychol*. 2020, 193:104784.

GOLDSTONE, R. L.; LIPPA, Y.; SHIFRRIN, R. M. Altering Object Representations Through Category Learning. *Cognition*. 2001, 78(1):27-43.

GRAYBIEL, A. M. Habits, Rituals, and the Evaluative Brain. *Annu Rev Neurosci*. 2008, 31:359-87.

GRIFFIN, B. J. et al. Development of the Self-Forgiveness Dual-Process Scale. *J Couns Psychol*. 2018, 65(6):715-726.

GUERREIRO, C. A. M.; GUERREIRO, M. A. M.; CENDES, F.; LOPES-CENDES, I. *Epilepsia*. 3. ed. revisada e ampliada. São Paulo: Lemos Editorial, 2016.

GUNTHER MOOR, B. et al. Do You Like Me? Neural Correlates of Social Evaluation and Developmental Trajectories. *Soc Neurosci*. 2010, 5(5-6):461-82.

GUTMAN, Laura. *O poder do discurso materno. Introdução à metodologia de construção da biografia humana*. São Paulo: Editora Ágora, 2013.

HACKERS da memória. Direção: Anna Lee Strachan. Netflix, 2016. [Indisponível para transmissão.]

HANELY, J.; BROWN, A. Cultural Variations in Interpretation of Postnatal Illness: Jinn Possession Amongst Muslim Communities. *Community Ment Health J*. 2014, 50(3):348-353.

HARARI, Y. N. *Sapiens: uma breve história da humanidade*. 11. ed. São Paulo: L&PM, 2016.

HAYAKAWA, S.; MARIAN, V. Consequences of Multilingualism for Neural Architecture. *Behav Brain Funct*. 2019, 15(1):6.

HEAL: o poder da mente. Direção: Kelly Noonan Gores. Netflix, 2017. [Indisponível para transmissão.]

HELLINGER, B.; TEM HÖVEL, G. *Constelações familiares: o reconhecimento das ordens do amor*. São Paulo: Cultrix, 2010.

HOBSON, N. M.; BONK, D.; INZLICHT, M. Rituals Decrease The Neural Response to Performance Failure. *PeerJ*. May, 2017, 5:e3363.

HOLLAND, A. C.; KENSINGER, E. A. The Neural Correlates of Cognitive Reappraisal During Emotional Autobiographical Memory Recall. *J Cogn Neurosci*. 2013, 25(1):87-108.

_____. An fMRI Investigation of the Cognitive Reappraisal of Negative Memories. *Neuropsychologia*. 2013, 51(12):2389-2400.

IMUTA, K. et al. Theory of Mind And Prosocial Behavior in Childhood: A Meta-Analytic Review. *Dev Psychol*. 2016, 52(8):1192-1205.

INSEL, T. R.; FERNALD, R. D. How The Brain Processes Social Information: Searching for the Social Brain. *Annu Rev Neurosci*. 2004, 27:697-722.

ITANI, T. *Quran, English Translation, Clear, Easy to Read, Modern English Pure*. [S. l.]: ClearQuran, 2014.

JANSEN, A. S. et al. Central Command Neurons of the Sympathetic Nervous System: Basis of the Fight-Or-Flight Response. *Science*. Oct. 1995, 270(5236):644-6.

JAROUCHE, M. M. *Livro das mil e uma noites*. 4 vol., 3. ed., 8. reimp. Rio de Janeiro: Biblioteca Azul, 2020.

JEANNIE é um gênio. Seriado de televisão. 5 temporadas. NBC, 1965-1970.

JUSTO, A. A.; BURKHARD, G. *Biografia e doença*. São Paulo: Editora Antroposófica, 2018.

KAHNEMAN, D. *Rápido e devagar: duas formas de pensar*. Rio de Janeiro: Objetiva, 2012.

KANDEL, E. R.; SCHWARTZ, J. H.; JESSELL, T. M. *Principles of Neural Science*. 4. ed. Nova York: McGraw Hill, 2012.

KAPTCHUK, T. J.; HEMOND, C. C.; MILLER, F. G. Placebos in Chronic Pain: Evidence, Theory, Ethics, and Use in Clinical Practice. *BMJ*. Jul. 2020, 370:m1668.

KEDIA, G.; MUSSWEILER, T.; LINDER, D. E. Brain Mechanisms of Social Comparison and Their Influence on the Reward System. *Neuroreport*. Nov. 2014, 25(16):1255-65.

KHALIFA, N.; HARDIE, T. Possession and jinn. *J R Soc Med*. 2005, 98(8):351-353.

KHAN, M. W. *The Quran*. Afeganistão: Goodword Books, 2013.

KIRK, E. et al. A Longitudinal Investigation of the Relationship Between Maternal Mind-Mindedness and Theory Of Mind. *Br J Dev Psychol*. 2015, 33(4):434-445.

KÖRDING, K. Decision Theory: What "Should" the Nervous System Do? *Science*. 2007, 318(5850):606-610.

KOZLOWSKA, K.; WALKER, P.; MCLEAN, L.; CARRIVE, P. Fear and the Defense Cascade: Clinical Implications and Management. *Harv Rev Psychiatry*. Jul.-Augo. 2015, 23(4):263-87.

KRUSEMARK, E. A.; KEITH CAMPBELL, W.; CLEMENTZ, B.A. Attributions, Deception, and Event Related Potentials: An Investigation of the Self-Serving Bias. *Psychophysiology*. 2008, 45(4):511-515.

KUNDAKVIC, M.; CHAMPAGNE, F. A. Early-life Experience, Epigenetics, and The Developing Brain. *Neuropsychopharmacology*. 2015, 40(1):141-153.

LAWLER, K. A. The Unique Effects of Forgiveness on Health: An Exploration of Pathways. *J Behav Med*. 2005, 28(2):157-167.

LEE, V.; CHEAL, J. L.; RUTHERFRD, M. D. Categorical Perception Along the Happy-Angry and Happy-Sad Continua in The First Year of Life. *Infant Behav Dev*. 2015, 40:95-102.

LEE, Y. R.; ENRIGHT, R. D. A Meta-Analysis of the Association Between Forgiveness of Others and Physical Health. *Psychol Health*. 2019, 34(5):626-643.

LEVY, M. J. F et al. Neurotrophic Factors and Neuroplasticity Pathways in the Pathophysiology and Treatment of Depression. *Psychopharmacology (Berl)*. 2018, 235(8):2195-2220.

LEVY, S. R.; DWECK, C. S. The Impact of Children's Static Vs. Dynamic Conceptions of People on Stereotype Formation. *Child Development*. 1999, 70:1163-1180.

LI, P. et al. Disappearance of Self-Serving Bias: Reward Positivity Reflects Performance Monitoring Modulated by Responsibility Attribution In a Two-Person Cooperative Task. *Int J Psychophysiol*. 2018, 133:17-27.

LI, P.; LEGAULT, J.; LITCFSKY, K. A. Neuroplasticity as a Function of Second Language Learning: Anatomical Changes in the Human Brain. *Cortex*. 2014, 58:301-324.

LICKERMAN, A. The Good Guy Contract: A People-Pleaser Stops Worrying About What Others Think of Him. *Psychology Today*. Mar.--Apr., 2010, 43(2): 42(2).

LIM, A. et al. The Attribution of Mental Health Problems to Jinn: An Explorative Study in a Transcultural Psychiatric Outpatient Clinic. *Front Psychiatry*. 2018, 9:89.

LIM, A.; HOEK, H. W.; BLOM, J. D. The Attribution of Psychotic Symptoms to Jinn in Islamic Patients. *Transcult Psychiatry*. 2015, 52(1):18-32.

LIPTON, B. H. *A biologia da crença*. São Paulo: Butterfly Editora, 2007.

LISBOA, S.; GARATTONI, B. O mundo secreto do inconsciente. *Revista Superinteressante Online*. Disponível em: https://super.abril.com.br/ciencia/o-mundo-secreto-do-inconsciente/. Acesso em: 21 fev. 2019.

LISMAN, J.; STERNBERG, E. J. Habit and Nonhabit Systems for Unconscious and Conscious Behavior: Implications for Multitasking. *J Cogn Neurosci*. Feb. 2013, 25(2):273-83.

LOURENÇO, L. *Noocídio: quem sou eu sem os meus problemas?* São Paulo: Labrador, 2019.

LÖVDÉN, M. et al. Structural Brain Plasticity in Adult Learning and Development. *Neurosci Biobehav Rev*. 2013, 37(9 Pt. B):2296-2310.

MACDONALD, G.; LEARY, M. R. Why Does Social Exclusion Hurt? The Relationship Between Social and Physical Pain. *Psychol Bull*. Mar. 2005, 131(2):202-23.

MACKNIK, S. L. *Truques da mente*. São Paulo: Zahar, 2011.

MASTER, A.; MARKMAN, E. M.; DWECK, C. S. Thinking in Categories or Along a Continuum: Consequences for Children's Social Judgments. *Child Dev*. 2012, 83(4):1145-1163.

MAY, A. Experience-Dependent Structural Plasticity in the Adult Human Brain. *Trends Cogn Sci*. 2011, 15(10):475-482.

MCEWEN, B. S. Physiology and Neurobiology of Stress and Adaptation: Central Role of the Brain. *Physiol Rev*. Jul. 2007, 87(3):873-904.

MCEWEN, B. S., GIANAROS, P. J. Stress and Allostasis-Induced Brain Plasticity. *Annu Rev Med*. 2011, 62:431-45.

MCNALLY, R. J. Mechanisms of Exposure Therapy: How Neuroscience Can Improve Psychological Treatments for Anxiety Disorders. *Clin Psychol Rev*. 2007,27(6):750-759.

MEZULIS, A. H.; ABRAMSON, L. Y.; HYDE, J. S.; HANKIN, B. L. Is There A Universal Positivity Bias in Attributions? A Meta-Analytic Review of Individual, Developmental, and Cultural Differences in The Self-Serving Attributional Bias. *Psychol Bull.* 2004,130(5):711-747.

MICHELSON, L.; ASCHER, L. M. Paradoxical Intention in the Treatment of Agoraphobia and Other Anxiety Disorders. *J Behav Ther Exp Psychiatry*. 1984, 15(3):215-220.

MICZEK, K. A. et al. A Neurobiology of Escalated Aggression and Violence. *J Neurosci.* Oct. 2007, 27(44):11803-6.

MISCHEL, W. *O teste do marshmallow*. Rio de Janeiro: Objetiva, 2016.

MISSLIN, R. The Defense System of Fear: Behavior and Neurocircuitry. *Neurophysiol Clin.* Apr. 2003, 33(2):55-66.

MORSELLA, E.; GODWIN, C. A.; JANTZ, T. K.; KRIEGER, S. C., GAZZALEY, A. Passive Frame Theory: a New Synthesis. *Behav Brain Sci.* Jan. 2016, 39:e199.

_____. Homing in on Consciousness in Tthe Nervous System: An Action-Based Synthesis. *Behav Brain Sci.* Jan. 2016, 39:e168.

NICOLELIS, M. *Muito além do nosso eu*. São Paulo: Planeta, 2017.

O EXPERIMENTO de Milgram. Direção: Michael Almereyda. Neflix, 2015. [Indisponível para transmissão.]

O'CONNEL, B. H.; KILLEEN-BYRT, M. Psychosocial Health Mediates the Gratitude-Physical Health Link. *Psychol Health Med.* 2018, 23(9):1145-1150.

OOSTENBROEK, J.; VAISH, A. The Emergence of Forgiveness in Young Children. *Child Dev.* 2019, 90(6):1969-1986.

PFEIFER, J. H.; LIEBERMAN, M. D.; DAPRETTO, M. "I Know You Are But What Am I?!": Neural Bases of Self- And Social Knowledge Retrieval in Children And Adults. *J Cogn Neurosci.* Aug. 2007, 19(8):1323-37.

PFEIFER, J. H.; PEAKE, S. J. Self-Development: Integrating Cognitive, Socioemotional, and Neuroimaging Perspectives. *Dev Cogn Neurosci.* Jan. 2012, 2(1):55-69.

PIEFKE, M. et al. Differential Remoteness And Emotional Tone Modulate the Neural Correlates of Autobiographical Memory. *Brain.* Mar. 2003, 126(Pt 3):650-68.

PINTO, F. G. *O cérebro ninja: aprenda a usar 100% do seu cérebro*. São Paulo: Planeta, 2018.

POULIN-DUBOIS, D.; BROOKER, I.; CHOW, V. The Developmental Origins of Naïve Psychology in Infancy. *Adv Child Dev Behav*. 2009, 37:55-104.

PRETTY, J.; ROGERSON, M.; BARTON, J. Green Mind Theory: How Brain-Body-Behaviour Links into Natural and Social Environments for Healthy Habits. *Int J Environ Res Public Health*. Jun. 2017, 14(7):706.

RAKOCZY, H. Do Infants Have a Theory Of Mind? *Br J Dev Psychol*. 2012, 30(Pt 1):59-74.

RASMUSSEN, K. R.; STACKHOUSE, M.; BOON, S. D.; COMSTOCK, K.; ROSS, R. Meta-Analytic Connections Between Forgiveness And Health: The Moderating Effects of Forgiveness-Related Distinctions. *Psychol Health*. 2019, 34(5):515-534.

ROBBINS, P. R.; TANCK, R. H.; HOUSHI, F. Anxiety and dream symbolism. *J Pers*. 1985, 53(1):17-22.

RONNBERG, A.; MARTIN, K. *O livro dos símbolos. Reflexões sobre imagens arquetípicas*. São Paulo: Taschen, 2010.

SANTAGE, S. J. et al. Forgiveness in the Treatment of Borderline Personality Disorder: A Quasi-Experimental Study. *J Clin Psychol*. 2015, 71(7):625-640.

SATPUTE, A. B. et al. Emotions in "Black and White" or Shades of Gray? How We Think About Emotion Shapes Our Perception and Neural Representation of Emotion. *Psychol Sci*. 2016, 27(11):1428-1442.

SCHELL, D. W. *Terapia do perdão*. 9. ed. São Paulo: Paulus, 2007.

SCHMÄLZLE, R. et al. Brain Connectivity Dynamics During Social Interaction Reflect Social Network Structure. *Proc Natl Acad Sci USA*. May 2017, 114(20):5153-5158.

SCHOUTEN, K. A. et al. The Effectiveness of Art Therapy in The Treatment of Traumatized Adults: A Systematic Review on Art Therapy and Trauma. *Trauma Violence Abuse*. 2015, 16(2):220-228.

SCOPE, A.; UTTLEY, L.; SUTTON, A. A Qualitative Systematic Review of Service User and Service Provider Perspectives on The Acceptability, Relative Benefits, and Potential Harms of Art Therapy for People with Non-Psychotic Mental Health Disorders. *Psychol Psychother*. 2017, 90(1):25-43.

SOON, C. S.; BRASS, M.; HEINZE, H. J.; HAYNES, J. D. Unconscious Determinants of Free Decisions in The Human Brain. *Nat Neurosci*. May 2008, 11(5):543-5.

SOON, C. S.; HE, A. H.; BODE, S.; HAYNES, J. D. Predicting Free Choices for Abstract Intentions. *Proc Natl Acad Sci USA*. Apr. 2013, 110(15):6217-22.

SPEED, B. C. et al. Emotion Regulation to Idiographic Stimuli: Testing the Autobiographical Emotion Regulation Task. *Neuropsychologia*. 2017, S0028-3932(17)30161-6.

SPERMON, D.; GIBNEY, P.; DARLINGTON, Y. Complex Trauma, Dissociation, and rhe Use of Symbolism in Therapy. *J Trauma Dissociation*. 2009, 10(4):436-450.

SQUIRE, L. R.; DEDE, A. J. Conscious and Unconscious Memory Systems. *Cold Spring Harb Perspect Biol*. Mar. 2015, 7(3):a021667.

SREWART, M. et al. *Medicina centrada na pessoa*. São Paulo: Artmed, 2017.

ST JACQUES, P. L.; CONWAY, M. A.; LOWDER, M. W.; CABEZA R. Watching My Mind Unfold Versus Yours: An Fmri Study Using a Novel Camera Technology to Examine Neural Differences in Self-Projection of Self Versus Other Perspectives. *J Cogn Neurosci*. Jun. 2011, 23(6):1275-84.

SVOBODA, E. May I Serve as Your Doormat? Why Are Some People *So Focused* on Pleasing Others That They Sacrifice Their Own Needs? *Psychology Today*. May-Jun., 2008, 41(3):43(2).

TANG, Y. et al. Art Therapy for Anxiety, Depression, and Fatigue in Females With Breast Cancer: a Systematic Review. *J Psychosoc Oncol*. 2019, 37(1):79-95.

TOUSSAINT, L. et al. Hostility, Forgiveness, and Cognitive Impairment Over 10 Years in a National Sample of American Adults. *Health Psychol*. 2018;37(12):1102-1106.

TOUSSANT, L.; GALL, A. J.; CHEADLE, A.; WILLIAMS, D. R. Editor Choice: Let It Rest: Sleep and Health as Positive Correlates of Forgiveness of Others and Self-Forgiveness. *Psychol Health*. 2020, 35(3):302-317.

TOVOTE, P. et al. Midbrain Circuits for Defensive Behaviour. *Nature*. Jun. 2016, 534(7606):206-12.

TRUQUES da mente. Direção: Kenneth Biller, Michael Sussman. Produção: Paperboy Productions, ABC Studio, 2012-2015.

TYRON, W. W. Possible Mechanisms for Why Desensitization and Exposure Therapy Work. *Clin Psychol Rev*. 2005, 25(1):67-95.

VAN RENSBURG, E. J.; RAUBENHEIMER, J. Does Forgiveness Mediate the Impact of School Bullying on Adolescent Mental Health? *J Child Adolesc Ment Health*. 2015, 27(1):25-39.

WALTMAN, M. A. et al. The Effects of a Forgiveness Intervention on Patients With Coronary Artery Disease. *Psychol Health*. 2009, 24(1):11-27.

WANG, X. et al. Immune to Situation: The Self-Serving Bias in Unambiguous Contexts. *Front Psychol*. 2017, 8:822.

WAYTZ, A.; GRAY, K.; EPLEY, N.; WEGNER, D. M. Causes and Consequences of Mind Perception. *Trends Cogn Sci*. 2010, 14(8):383-388.

WIKIPEDIA. *Gênio (mitologia árabe)*. Disponível em: http://pt.wikipedia.org/wiki/Gênio_(mitologia_árabe). Acesso em: 19 fev. 2021.

WISCO, B. E.; NOLEN-HOEKSEMA, S. Valence of Autobiographical Memories: the Role of Mood, Cognitive Reappraisal, and Suppression. *Behav Res Ther*. 2010, 48(4):335-340.

WONG, Y. J. et al. Does Gratitude Writing Improve the Mental Health of Psychotherapy Clients? Evidence From a Randomized Controlled Trial. *Psychother Res*. 2018, 28(2):192-202.

WOOD, A. M.; FROH, J. J.; GERAGHTY, A. W. Gratitude and Well-Being: a Review and Theoretical Integration. *Clin Psychol Rev*. 2010, 30(7):890-905.

ZAEHRINGER, J. et al. Neural Correlates of Reappraisal Considering Working Memory Capacity and Cognitive Flexibility. *Brain Imaging Behav*. 2018, 12(6):1529-1543.

ZATORRE, R. J.; FIELDS, R. D.; JOHANSEN-BERG, H. Plasticity in Gray and White: Neuroimaging Changes in Brain Structure During Learning. *Nat Neurosci*. 2012, 15(4):528-536.

ZEEGERS, M. A. J. et al. Mothers' and Fathers' Mind-Mindedness Influences Physiological Emotion Regulation of Infants Across the First Year of Life. *Dev Sci*. 2018, 21(6):e12689.

Esta obra foi composta em Utopia Std 12 pt e impressa em
papel Pólen soft 80 g/m² pela gráfica Loyola.